초등 연산의 기준

칸토의 연산

분수와 소수의 기초

"초등 입학 후 우리 아이가 해야 할 수학은?"

우리 아이가 초등학교에 처음 입학할 때의 모습이 떠오릅니다. 머리도 혼자 감지 못하는 아이가 벌써 초등학생이 되어 많은 아이들과 교실에서 생활한다니 대견스러우면서도 한편으론 '아이가 40분 수업 시간 동안 집중하며 앉아 있을 수 있을까? 소변이라도 보면 어떻게 하지?' 등등 고민이 한가득이었지요.

기대 반 걱정 반으로 하루하루를 보내며 아이는 어느덧 별탈 없이 학교에 잘 적응하는 모습입니다. 걱정이 사라질 즈음 아이는 학교에서 생전 처음 단원 평가라는 시험을 보게 됩니다. 7살 때 100까지 막힘없이 세던 우리 아이라 당연히 100점을 맞았을 거라 생각했지만 아쉽게 한두 개 틀려 옵니다. '실수라고, 다음에 잘하겠지.'라고 넘겨 보지만 100점 맞기는 쉽지 않습니다. 혹시나 해서 "다른 친구들은 어떻게 봤니?"라고 물으면 "누구누구는 100점 맞았어!"라고 자기랑 상관없다는 듯이 무심코 하는 말에 마음이 무너집니다.

아차 싶어 이제부터 친구 엄마들에게 학원, 학습지 등 공부 정보를 수집하며 어떤 선택이 우리 아이에게 최선의 선택일지 갈등과 고민이 시작됩니다. 공부란 것을 제대로 해 보지 못했던 우리 아이는 자기랑 맞지 않는 공부를 부모의 계획에 따르며 어느 순간부터 부모와의 감정싸움이 시작됩니다. 부모님들이 초등 저학년에 많이 겪게 되는 고민거리입니다.

중학교에서 수학을 포기하는 아이들의 상당수가 초등 연산의 기초가 없어서라고 합니다. 자연수, 분수의 사칙연산을 어려워하는 아이들이 정수, 유리수의 사칙연산을 어려워하는 것은 당연합니다.

고등학교에서 수학을 포기하는 아이들의 상당수는 공부하는 습관이 몸에 배어 있지 않아서라고 합니다. 공부 계획을 세우고 공부하는 습관은 학교에서 따로 가르쳐주지 않습니다. 할 줄 아는 아이들만 공부 계획표를 꾸준히 작성하고 실천하지 나머지는 포기합니다. 단시간에 공부습관을 바로잡기는 시간이 너무 부족합니다.

그렇다면 우리 아이가 초등학생 때 해야 할 수학은 무엇일까요?

공부 습관과 수학에 대한 자신감을 기르는 것입니다. 그런데 이 둘은 모두 연산 학습으로 잡을 수 있습니다.

연산은 매일 꾸준히 지치지 않고 하는 것이 핵심입니다. 꾸준한 연산 학습은 연산 실력을 향상시킬 수 있을 뿐만 아니라 앞으로의 공부 습관과 태도를 형성할 수 있는 매우 중요한 학습 방법입니다. 처음에는 개념 위주로 연산의 정확도를 목표로 학습하고 꾸준히 연습하면 속도는 저절로 올라가니 처음부터 속도에 욕심내지 마세요. 그리고 연산 학습과 더불어 공부 시간을 10분, 20분, ……, 60분으로 늘려나가며 공부 체력을 길러 주세요.

연산을 잘하면 무엇이 좋을까요?

수업 시간에 대답도 잘하고 선생님께 칭찬을 받아 자신감이 올라갑니다. 또 아이는 잘하려는 마음이 생겨서 노력하게 되고 성취하게 되며 칭찬을 받게 되는 과정을 되풀이하여 결국 자신감을 넘어 자존감이 올라가게 됩니다.

또한 초등 저학년 수학 내용은 반 이상이 연산이라 연산을 잘하면 저학년 수학을 잘할 수 있습니다. 그리고 도형, 측정과 같은 다른 영역에서 넓이, 부피, 시간, 각도 등을 구할 때에도 연산이 중요하게 사용되므로 결국 수학을 잘한다는 것으로 이어집니다.

초등학교는 대학입시를 준비하는 단계가 아닙니다. 초반부터 무리하게 시작하는 것보다 아이에 맞게 공부 시간과 난이도를 조절해 보세요. 초등 공부 습관과 자신감은 중·고등 시기에 학업 성취를 높여 주는 발판이 될 것입니다. 나아가 하루하루 쌓여 끈기가 되고 인생을 살아가는 지혜가 될 것입니다.

"초등 6년 연산
학년별로 이것만은 꼭 알고 가요."

학년별로 성취해야 할 연산 내용을 미리 살펴보고, 부족한 부분을 정리해 보세요.

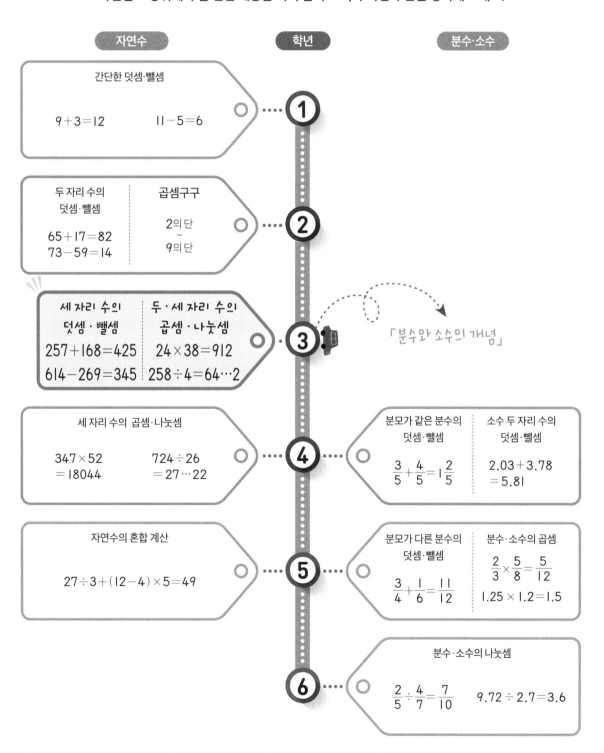

자연수 | 학년 | 분수·소수

①

간단한 덧셈·뺄셈

$9+3=12$ $11-5=6$

②

두 자리 수의 덧셈·뺄셈

$65+17=82$
$73-59=14$

곱셈구구

2의 단
~
9의 단

③

세 자리 수의 덧셈·뺄셈

$257+168=425$
$614-269=345$

두·세 자리 수의 곱셈·나눗셈

$24\times38=912$
$258\div4=64\cdots2$

「분수와 소수의 개념」

④

세 자리 수의 곱셈·나눗셈

347×52
$=18044$

$724\div26$
$=27\cdots22$

분모가 같은 분수의 덧셈·뺄셈

$\dfrac{3}{5}+\dfrac{4}{5}=1\dfrac{2}{5}$

소수 두 자리 수의 덧셈·뺄셈

$2.03+3.78$
$=5.81$

⑤

자연수의 혼합 계산

$27\div3+(12-4)\times5=49$

분모가 다른 분수의 덧셈·뺄셈

$\dfrac{3}{4}+\dfrac{1}{6}=\dfrac{11}{12}$

분수·소수의 곱셈

$\dfrac{2}{3}\times\dfrac{5}{8}=\dfrac{5}{12}$

$1.25\times1.2=1.5$

⑥

분수·소수의 나눗셈

$\dfrac{2}{5}\div\dfrac{4}{7}=\dfrac{7}{10}$ $9.72\div2.7=3.6$

유아/3단계

단계	권	주제
5세	1	1부터 5까지의 수
	2	6부터 9까지의 수
	3	1부터 9까지의 수
	4	덧셈과 뺄셈의 기초
6세	1	0부터 10까지의 수
	2	10까지의 수에서 더하기·빼기 1
	3	20까지의 수에서 더하기·빼기 1, 10
	4	20까지의 수에서 더하기·빼기 1, 2, 10
7세	1	합이 9까지의 덧셈
	2	9까지의 뺄셈과 덧셈·뺄셈
	3	50까지의 수에서 더하기·빼기 1, 2, 10
	4	받아올림·내림 없는 (두 자리 수±한 자리 수)

초등/6단계

단계	권	주제
초1	1	덧셈구구
	2	뺄셈구구
	3	편리한 계산 전략
	4	100까지의 수, 받아올림·내림 없는 (두 자리 수±두 자리 수)
초2	1	받아올림·내림 있는 (두 자리 수±한 자리 수)
	2	받아올림·내림 있는 (두 자리 수±두 자리 수)
	3	곱셈의 기초와 곱셈구구(1)
	4	곱셈구구(2)
초3	1	세 자리 수의 덧셈과 뺄셈
	2	나눗셈구구, (두 자리 수×한 자리 수)
	3	곱셈과 나눗셈
	4	분수와 소수의 기초
초4	1	큰 수
	2	곱셈과 나눗셈
	3	분모가 같은 분수의 덧셈과 뺄셈
	4	소수의 덧셈과 뺄셈
초5	1	자연수의 혼합 계산
	2	약수와 배수, 약분과 통분
	3	분모가 다른 분수의 덧셈과 뺄셈
	4	분수의 곱셈, 소수의 곱셈
초6	1	분수의 나눗셈
	2	소수의 나눗셈
	3	비와 비율
	4	비례식과 비례배분

칸토의 연산 시리즈

- 연산의 원리부터 재미있는 퍼즐형 문제까지 다루는 기본 난이도의 연산 교재
- 나선형 반복 학습과 확장 커리큘럼
- [칸토의 연산] ➡ [응용 연산]으로 이어지는 기본·심화 연산 학습 설계
- 단계별 4권, 9단계 총 36권 구성
- 한 단계 4개월 완성
- 학년별 교과서 진도와 맞춤 병행

이 책의
구성과 특징

· 하루 2쪽, 매주 5일씩 4주 동안 완성하는 연산 프로그램이에요.
· 연령별 아이의 학습 눈높이와 학습 체력에 맞게 쉬운 난이도와 하루 10분 정도의 학습 분량으로 구성하였어요.

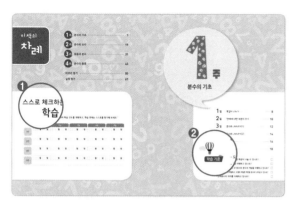

1 학습 안내   무엇을 공부할까요?

❶ 스스로 학습 진도를 계획하고 실천해 보세요.

❷ 이번 주에 꼭 알아야 할 학습 기준을 체크해요.
공부 전에 간단히 살펴보고, 한 주 공부가 끝나면 공부한 내용을 잘 알고 있는지 반드시 확인해 보세요.

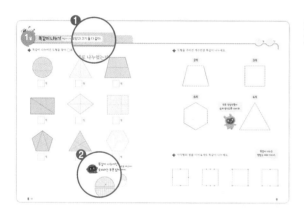

2 일일 학습   매주 5일씩 4주 동안 공부해요.

❶ 일일 학습 목표를 효율적으로 달성하기 위한 학습 목표 및 노하우를 담았어요. 무엇을 공부하는지 미리 알고 가는 공부는 목표 달성률이 훨씬 높답니다.

❷ 연산의 개념, 원리뿐만 아니라 궁금증을 해결할 수 있는 학습 노하우를 꼭 확인하세요.

3 확인 학습

이번 주 배운 내용을 잘 알고 있나요?

4 마무리 평가+실력 평가

4주 동안 배운 내용을 잘 알고 있나요?

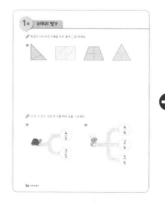

이 책의 차례

스스로 체크하는 학습 진도표

"일일 학습을 시작하기 전에 날짜를 기록하여 학습 진도를 계획하고, 학습 후에는 스스로를 평가해 보세요."

	1일		2일		3일		4일		5일	
	월	일	월	일	월	일	월	일	월	일
1주										
	월	일	월	일	월	일	월	일	월	일
2주										
	월	일	월	일	월	일	월	일	월	일
3주										
	월	일	월	일	월	일	월	일	월	일
4주										

분수의 기초

학습 기준

• 도형을 주어진 개수만큼 똑같이 나눌 수 있나요? ☐

• 전체와 부분의 관계를 이해하고 있나요? ☐

• 전체에 대한 부분의 크기로서의 분수의 개념을 이해하고 있나요? ☐

• 분수만큼 도형에 색칠하고, 도형의 색칠한 부분을 분수로 나타낼 수 있나요? ☐

• 단위분수의 의미를 이해하고 있나요? ☐

1일 똑같이 나누기

똑같이 나누어진 도형은 모양과 크기 둘 다 같아.

똑같이 나누어진 도형을 찾아 ◯표 하고 몇 개로 나누었는지 쓰세요.

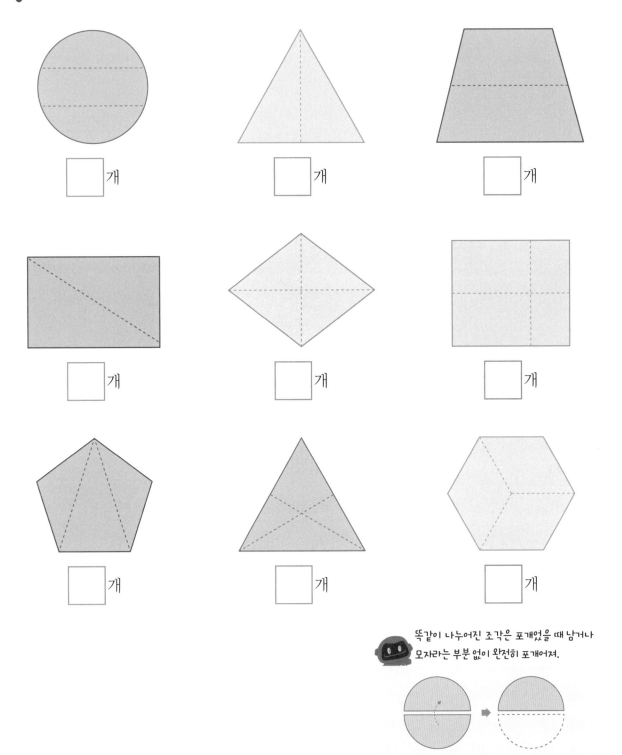

◻ 개

◻ 개

◻ 개

◻ 개

◻ 개

◻ 개

◻ 개

◻ 개

◻ 개

똑같이 나누어진 조각은 포개었을 때 남거나
모자라는 부분 없이 완전히 포개어져.

➕ 도형을 주어진 개수만큼 똑같이 나누세요.

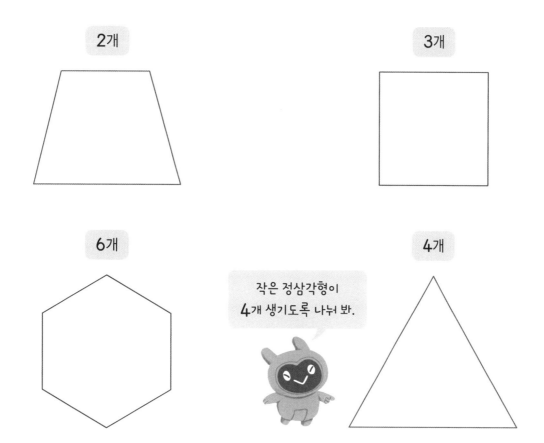

2개

3개

6개

4개

작은 정삼각형이
4개 생기도록 나눠 봐.

똑같이 나누는
방법도 여러 가지야.

➕ 사각형의 점을 이어 4개로 똑같이 나누세요.

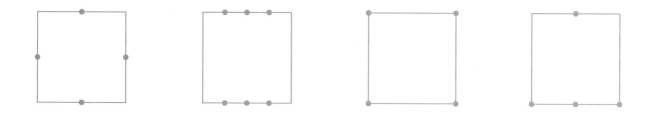

➕ 색칠한 부분이 얼마인지 빈칸에 알맞은 수를 쓰세요.

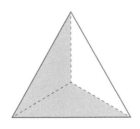

전체를 똑같이 ☐ 으로

나눈 것 중의 ☐

전체를 똑같이 ☐ 로

나눈 것 중의 ☐

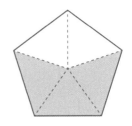

전체를 똑같이 ☐ 로

나눈 것 중의 ☐

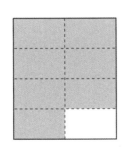

전체를 똑같이 ☐ 로

나눈 것 중의 ☐

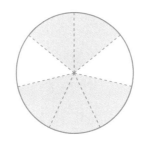

전체를 똑같이 ☐ 로

나눈 것 중의 ☐

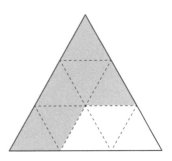

전체를 똑같이 ☐ 로

나눈 것 중의 ☐

똑같이 나눠야
공평하게 먹을 수 있지.

피자 한판을 똑같이 넷으로 나누어 먹고
1조각이 남았어.

✚ 설명하는 부분만큼 알맞게 색칠하세요.

전체를 똑같이 4로 나눈 것 중의 3

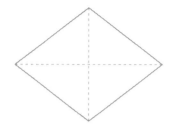

전체를 똑같이 3으로 나눈 것 중의 1

전체를 똑같이 5로 나눈 것 중의 2

전체를 똑같이 6으로 나눈 것 중의 4

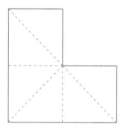

✚ 관계있는 것끼리 선으로 이으세요.

전체를 똑같이
4로 나눈 것 중의 2

전체를 똑같이
3으로 나눈 것 중의 2

전체를 똑같이
4로 나눈 것 중의 3

11

3일 **분수로 나타내기(1)** 분수는 전체에 대한 부분의 크기를 $\dfrac{(분자)}{(분모)}$ 로 나타낸 수야.

➕ 색칠한 부분을 보고 분수로 나타내세요.

분수 $\dfrac{1}{2}$, $\dfrac{2}{3}$, $\dfrac{4}{5}$ …와 같은 수를 분수라고 해요.

분수로 나타내기

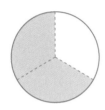

쓰기 $\dfrac{\boxed{2}}{\boxed{3}}$ ◀-- 분자 (색칠한 부분의 수)

◀-- 분모 (전체를 똑같이 나눈 수)

읽기 $\boxed{3}$ 분의 $\boxed{2}$

분모를 먼저 읽고 분자는 나중에 읽어요.

$\dfrac{(부분의 수)}{(전체를 똑같이 나눈 수)} = \dfrac{(분자)}{(분모)}$

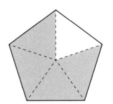

$\dfrac{\boxed{}}{\boxed{}}$

$\boxed{}$ 분의 $\boxed{}$

$\dfrac{\boxed{}}{\boxed{}}$

$\boxed{}$ 분의 $\boxed{}$

$\dfrac{\boxed{}}{\boxed{}}$

$\boxed{}$ 분의 $\boxed{}$

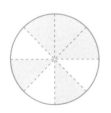

$\dfrac{\boxed{}}{\boxed{}}$

$\boxed{}$ 분의 $\boxed{}$

$\dfrac{\boxed{}}{\boxed{}}$

$\boxed{}$ 분의 $\boxed{}$

➕ 빈칸에 알맞은 수를 쓰세요.

$\dfrac{2}{4}$: ☐ 분의 ☐

$\dfrac{☐}{☐}$: 8분의 1

$\dfrac{3}{4}$: 전체를 똑같이 ☐로

나눈 것 중의 ☐

$\dfrac{3}{6}$: ☐ 분의 ☐

$\dfrac{☐}{☐}$: 5분의 4

$\dfrac{☐}{☐}$: 전체를 똑같이 7로
나눈 것 중의 2

➕ 색칠한 부분과 색칠하지 않은 부분을 각각 분수로 나타내세요.

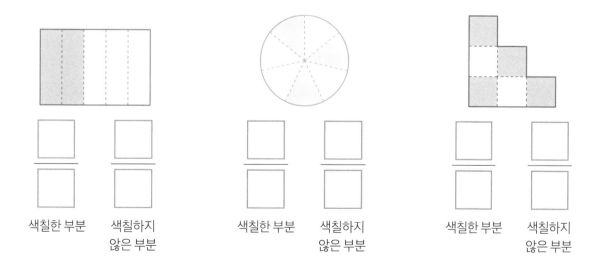

색칠한 부분	색칠하지 않은 부분	색칠한 부분	색칠하지 않은 부분	색칠한 부분	색칠하지 않은 부분
$\dfrac{☐}{☐}$	$\dfrac{☐}{☐}$	$\dfrac{☐}{☐}$	$\dfrac{☐}{☐}$	$\dfrac{☐}{☐}$	$\dfrac{☐}{☐}$

✚ 주어진 분수만큼 색칠하세요.

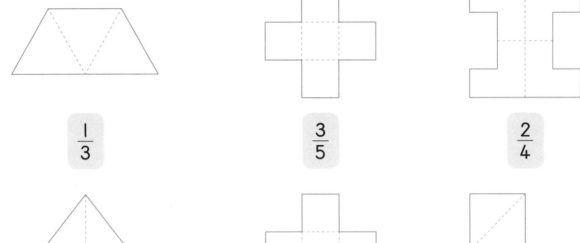

$\dfrac{1}{3}$

$\dfrac{3}{5}$

$\dfrac{2}{4}$

$\dfrac{5}{8}$

$\dfrac{8}{9}$

$\dfrac{4}{6}$

✚ 분수를 바르게 나타낸 것에 ◯표 하세요.

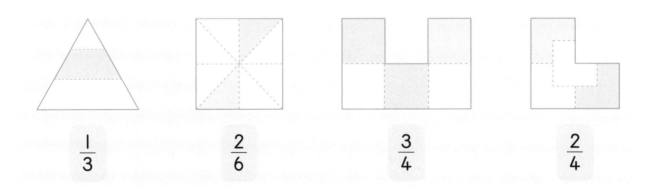

$\dfrac{1}{3}$

$\dfrac{2}{6}$

$\dfrac{3}{4}$

$\dfrac{2}{4}$

＋ 색칠된 부분을 분수로 나타내세요.

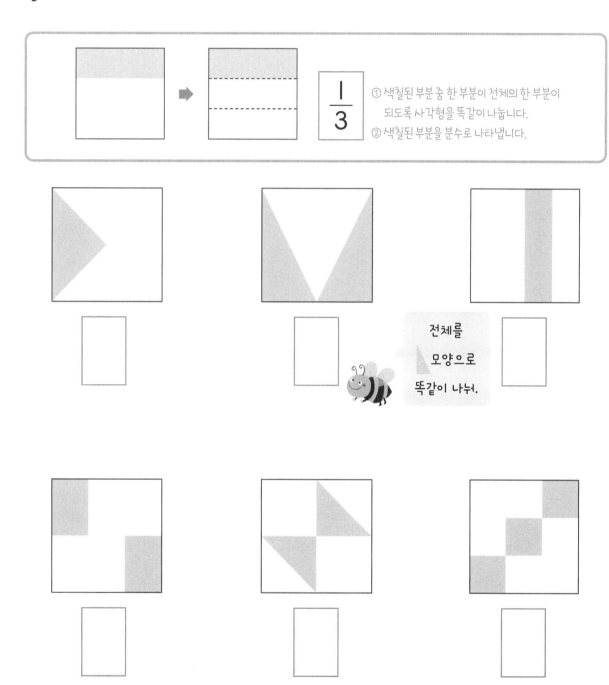

① 색칠된 부분 중 한 부분이 전체의 한 부분이 되도록 사각형을 똑같이 나눕니다.

② 색칠된 부분을 분수로 나타냅니다.

$\frac{1}{3}$

전체를 ▷ 모양으로 똑같이 나눠.

단위분수 는 분수들 중에서 분자가 1인 분수야. 기준이 되는 중요한 분수지.

✚ $\frac{1}{2}$, $\frac{1}{3}$, $\frac{1}{4}$ ……과 같이 분자가 1인 분수를 단위분수라고 합니다. 단위분수를 나타내는 것을 모두 찾아 ◯표 하세요.

✚ 설명하는 수만큼 색칠하고 분수로 나타내세요.

$\dfrac{1}{4}$이 3개인 수

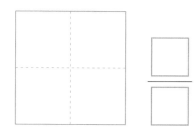

$\dfrac{1}{3}$이 2개인 수

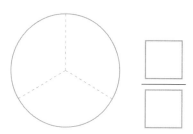

$\dfrac{1}{6}$이 4개인 수

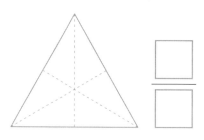

$\dfrac{1}{5}$이 5개인 수

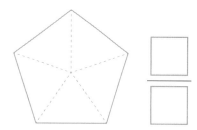

$\dfrac{1}{7}$이 6개인 수

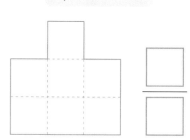

 단위분수의 분모만큼은 전체 1과 같아.

$\dfrac{1}{2}$이 2개

$\dfrac{1}{3}$이 3개

1

17

➕ 색칠한 부분이 얼마인지 빈칸에 알맞은 수를 쓰세요.

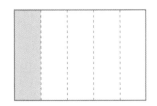

전체를 똑같이 ⬜ 로

나눈 것 중의 ⬜

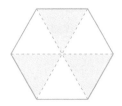

전체를 똑같이 ⬜ 으로

나눈 것 중의 ⬜

➕ 색칠한 부분을 보고 분수로 나타내세요.

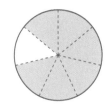

$\dfrac{\square}{\square}$

⬜ 분의 ⬜

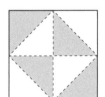

$\dfrac{\square}{\square}$

⬜ 분의 ⬜

➕ 주어진 분수만큼 색칠하세요.

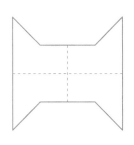

$\dfrac{3}{4}$

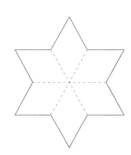

$\dfrac{5}{6}$

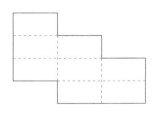

$\dfrac{6}{8}$

2주

분수와 소수

학습 기준

· 분모가 같은 분수의 크기를 비교할 수 있나요? ☐

· 분자가 같은 분수의 크기를 비교할 수 있나요? ☐

· 분모가 10인 분수를 통해 소수를 알 수 있나요? ☐

· 자연수와 소수로 이루어진 소수를 알 수 있나요? ☐

· 소수의 크기를 비교할 수 있나요? ☐

분모가 같은 분수의 크기 비교

분모가 같은 분수는 분자가 큰 수가 더 커.

➕ 분수만큼 색칠하고 ◯ 안에 >, <를 알맞게 쓰세요.

$\dfrac{1}{3}$ ◯ $\dfrac{2}{3}$

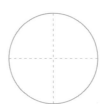 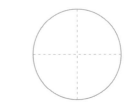

$\dfrac{3}{4}$ ◯ $\dfrac{2}{4}$

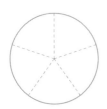 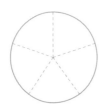

$\dfrac{2}{5}$ ◯ $\dfrac{4}{5}$

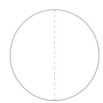 

$\dfrac{1}{2}$ ◯ $\dfrac{2}{2}$

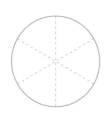 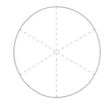

$\dfrac{4}{6}$ ◯ $\dfrac{3}{6}$

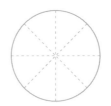 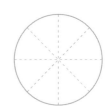

$\dfrac{7}{8}$ ◯ $\dfrac{5}{8}$

알맞은 말에 ◯ 해 봐.

분모가 같은 분수는 분자가 (클수록 , 작을수록) 큰 수입니다.

➕ 더 큰 수 또는 가장 큰 수를 따라 길을 그리세요.

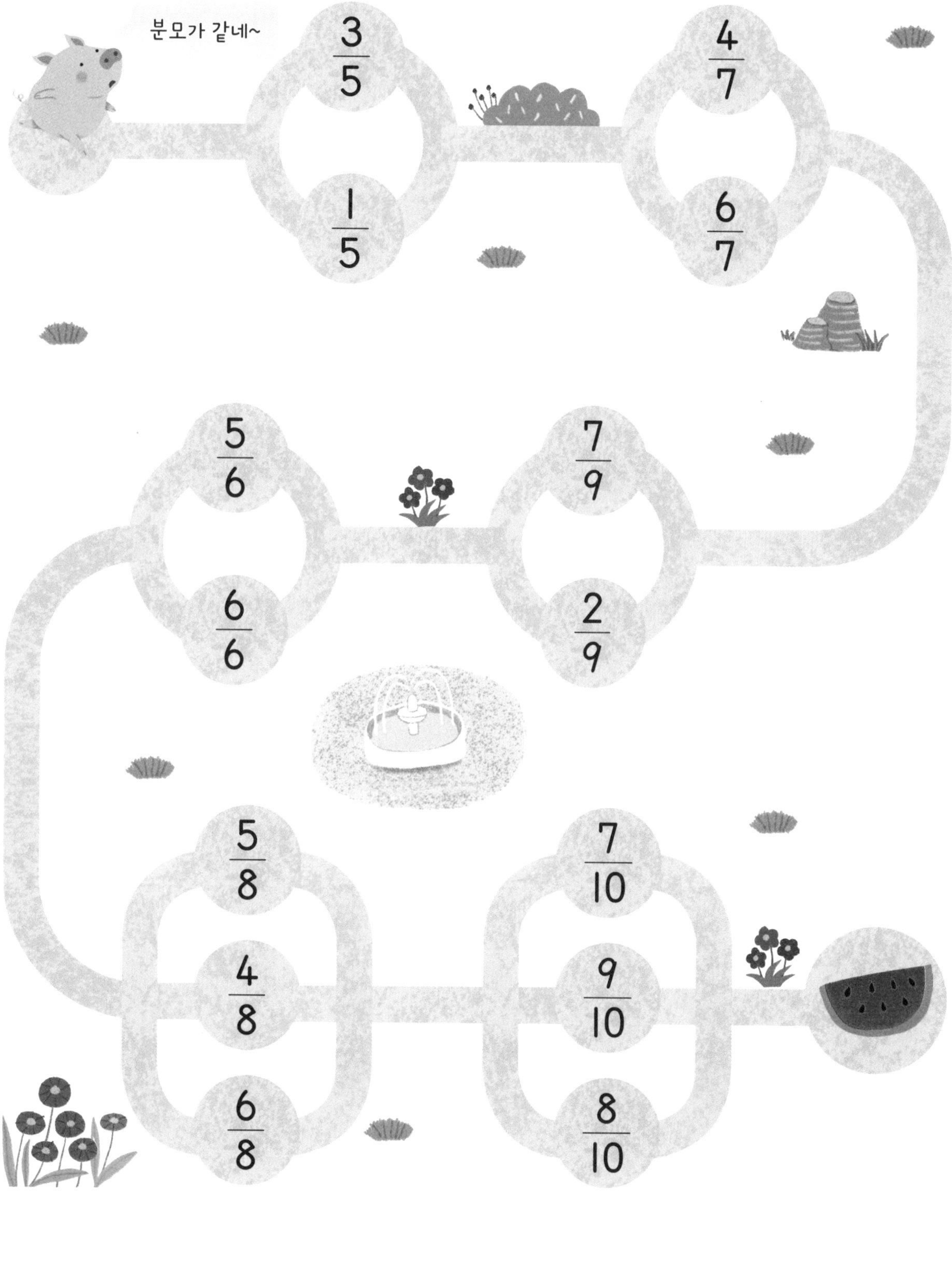

분모가 같네~

$\dfrac{3}{5}$

$\dfrac{1}{5}$

$\dfrac{4}{7}$

$\dfrac{6}{7}$

$\dfrac{5}{6}$

$\dfrac{6}{6}$

$\dfrac{7}{9}$

$\dfrac{2}{9}$

$\dfrac{5}{8}$

$\dfrac{4}{8}$

$\dfrac{6}{8}$

$\dfrac{7}{10}$

$\dfrac{9}{10}$

$\dfrac{8}{10}$

➕ 분수만큼 색칠하고 분수의 크기를 비교하여 ◯ 안에 >, <를 알맞게 쓰세요.

$\dfrac{2}{5}$

$\dfrac{2}{3}$

$\dfrac{2}{5}$ ◯ $\dfrac{2}{3}$

$\dfrac{1}{2}$

$\dfrac{1}{4}$

$\dfrac{1}{2}$ ◯ $\dfrac{1}{4}$

$\dfrac{3}{5}$

$\dfrac{3}{8}$

$\dfrac{3}{5}$ ◯ $\dfrac{3}{8}$

$\dfrac{4}{5}$

$\dfrac{4}{4}$

$\dfrac{4}{5}$ ◯ $\dfrac{4}{4}$

$\dfrac{1}{7}$

$\dfrac{1}{6}$

$\dfrac{1}{7}$ ◯ $\dfrac{1}{6}$

$\dfrac{6}{7}$

$\dfrac{6}{8}$

$\dfrac{6}{7}$ ◯ $\dfrac{6}{8}$

알맞은 말에 ◯ 해 봐.

분자가 같은 분수는 분모가 (클수록 , 작을수록) 큰 수입니다.

➕ ◯ 안에 >, <를 알맞게 쓰세요.

$$\frac{1}{5} \bigcirc \frac{1}{3} \qquad \frac{2}{4} \bigcirc \frac{2}{7} \qquad \frac{1}{8} \bigcirc \frac{1}{6}$$

$$\frac{3}{4} \bigcirc \frac{3}{5} \qquad \frac{4}{8} \bigcirc \frac{4}{7} \qquad \frac{7}{9} \bigcirc \frac{7}{10}$$

$$\frac{1}{2} \bigcirc \frac{1}{3} \bigcirc \frac{1}{4}$$

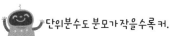
단위분수도 분모가 작을수록 커.

$\frac{1}{2}$		$\frac{1}{2}$	
$\frac{1}{3}$	$\frac{1}{3}$	$\frac{1}{3}$	
$\frac{1}{4}$	$\frac{1}{4}$	$\frac{1}{4}$	$\frac{1}{4}$

➕ ☐ 안에 알맞은 수를 모두 찾아 ◯표 하세요.

$$\frac{1}{4} < \frac{1}{\square} \qquad \boxed{3 \quad 4 \quad 5}$$

$$\frac{1}{6} > \frac{1}{\square} \qquad \boxed{2 \quad 5 \quad 7 \quad 9}$$

$$\frac{2}{\square} < \frac{2}{4} \qquad \boxed{3 \quad 5 \quad 6}$$

$$\frac{3}{\square} > \frac{3}{7} \qquad \boxed{5 \quad 6 \quad 7 \quad 8}$$

3일 분수와 소수 분모가 10인 분수 $\frac{\blacksquare}{10}$ 는 소수로 0.$\blacksquare$와 같이 나타내.

✚ 0.1, 0.2, 0.3 ……과 같은 수를 소수라 하고 영 점 일, 영 점 이, 영 점 삼 ……이라
고 읽습니다. 색칠한 부분을 분수와 소수로 나타내세요.

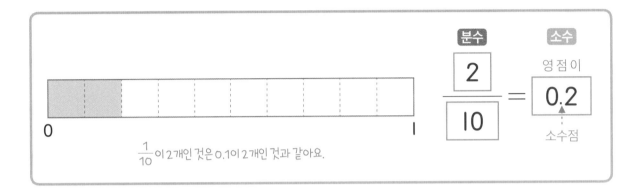

$\frac{1}{10}$이 2개인 것은 0.1이 2개인 것과 같아요.

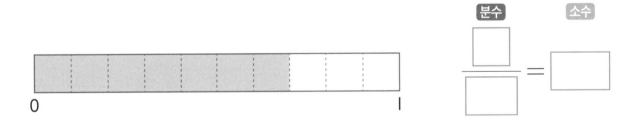

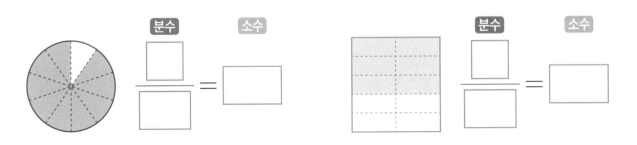

✚ 수직선을 보고 ☐ 안에 알맞은 수를 쓰세요.

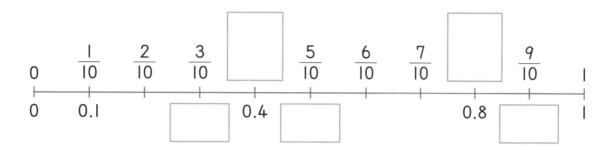

분모가 10인 분수는 소수로 나타낼 수 있어.

$$\frac{\blacksquare}{10}=0.\blacksquare$$

✚ ☐ 안에 알맞은 수를 쓰세요.

0.4는 ☐ 라고 읽습니다.

0.1이 8개이면 ☐ 입니다.

0.1이 ☐ 개이면 0.2입니다.

$\frac{1}{10}$이 6개이면 ☐ 입니다.

$\frac{1}{10}$이 ☐ 개이면 0.7입니다.

☐ 이 9개이면 0.9입니다.

1보다 큰 소수 자연수 ■와 0.▲만큼은 ■.▲야.

🌸 색칠한 부분을 소수로 쓰고 읽어 보세요.

0   1   2

1과 0.3만큼의 수
(= 0.1이 13개인 수)

쓰기 **1.3**   읽기 **일 점 삼**

0   1   2

1과 0.7만큼의 수
(= 0.1이 17개인 수)

0.1이 2개이면 0.2
0.1이 20개이면 2

쓰기 ☐   읽기 _____

0   1   2   3

2와 0.1만큼의 수
(= 0.1이 21개인 수)

쓰기 ☐   읽기 _____

0   1   2   3

쓰기 ☐   읽기 _____

✚ ☐ 안에 알맞은 수를 쓰세요.

0.1이 25개이면 ☐ 입니다.   0.1이 ☐ 개이면 4.9입니다.

6과 0.2만큼의 수는 ☐ 입니다.   9와 ☐ 만큼의 수는 9.8입니다.

✚ 물건의 길이를 재어 보고 ☐ 안에 알맞은 수를 쓰세요.

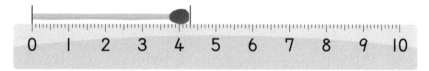

1 mm＝0.1 cm
10 mm＝1 cm

4 cm 3 mm ＝ 43 mm ＝ ☐ cm

☐ cm ☐ mm ＝ ☐ mm ＝ ☐ cm

☐ cm ☐ mm ＝ ☐ mm ＝ ☐ cm

27

소수의 크기 비교 0.1이 많은 수가 더 큰 수야.

➕ 소수를 수직선에 점을 찍어 나타내고 ◯ 안에 >, <를 알맞게 쓰세요.

2.1 ◯ 1.5

2.1은 1.5보다 오른쪽에 있으므로 더 큽니다.

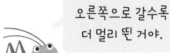

오른쪽으로 갈수록
더 멀리 뛴 거야.

1.8 ◯ 3.4

나는 2.9

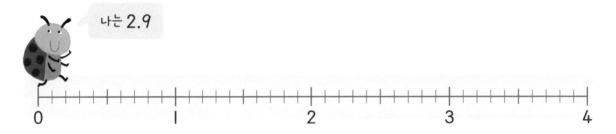

2.9 ◯ 2.6

2.7 ◯ 3.1

✚ ○ 안에 >, <를 알맞게 쓰세요.

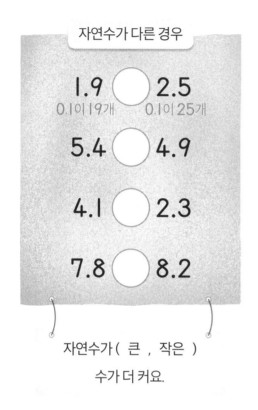

자연수가 다른 경우

1.9 ◯ 2.5
0.1이 19개   0.1이 25개

5.4 ◯ 4.9

4.1 ◯ 2.3

7.8 ◯ 8.2

자연수가 (큰 , 작은)
수가 더 커요.

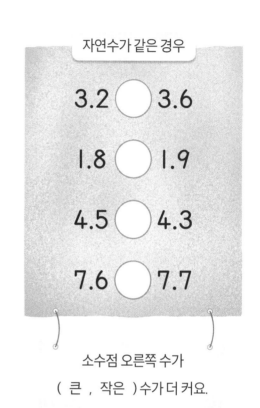

자연수가 같은 경우

3.2 ◯ 3.6

1.8 ◯ 1.9

4.5 ◯ 4.3

7.6 ◯ 7.7

소수점 오른쪽 수가
(큰 , 작은) 수가 더 커요.

✚ 가장 큰 수에 ◯표, 가장 작은 수에 △표 하세요.

1.5
3.1   2.4

5.7
5.5   5.8

9.4
9.3   8.9

➕ □ 안에 알맞은 수를 찾아 ◯표 하세요.

$\dfrac{4}{5} > \dfrac{\square}{5}$ ┃ 3   4   5 ┃

$\dfrac{1}{3} < \dfrac{1}{\square}$ ┃ 2   3   4 ┃

➕ 관계있는 것끼리 선으로 이으세요.

0.1이 28개인 수		3.6		이점구
2와 0.9만큼의 수		2.8		이점팔
0.1이 36개인 수		2.9		삼점육

➕ 가장 큰 수에 ◯표, 가장 작은 수에 △표 하세요.

$\dfrac{1}{7}$ $\dfrac{1}{5}$ $\dfrac{1}{6}$

5.2   4.8   5.3

3주

묶음과 분수

학습 기준

• 전체의 수에 대한 부분의 수를 분수로 나타낼 수 있나요?　☐

• 전체 묶음 수에 대한 부분 묶음 수를 분수로 나타낼 수 있나요?　☐

• 전체에 대한 분수만큼이 얼마인지 구할 수 있나요?　☐

• 전체 길이에 대한 분수만큼이 몇 cm인지 구할 수 있나요?　☐

1일 낱개로 분수 나타내기

부분이 전체의 얼마인지는 $\dfrac{(부분의 수)}{(전체의 수)}$ 로 나타내.

➕ 색칠한 부분을 분수로 나타내세요.

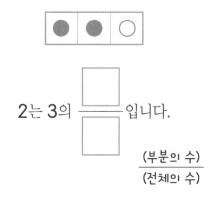

2는 3의 $\dfrac{\boxed{}}{\boxed{}}$ 입니다.

$\dfrac{(부분의 수)}{(전체의 수)}$

지난번에 도형으로 배웠지?

 $\dfrac{2}{3}$

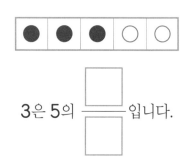

3은 5의 $\dfrac{\boxed{}}{\boxed{}}$ 입니다.

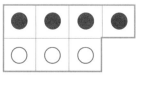

4는 7의 $\dfrac{\boxed{}}{\boxed{}}$ 입니다.

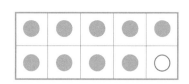

9는 10의 $\dfrac{\boxed{}}{\boxed{}}$ 입니다.

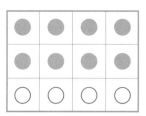

8은 12의 $\dfrac{\boxed{}}{\boxed{}}$ 입니다.

🍀 전체의 분수만큼을 구하세요.

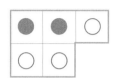

5의 $\dfrac{2}{5}$는 ☐ 입니다.
(선제)

┈ 전체를 똑같이 5로
나눈 것 중의 2

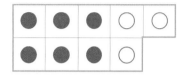

9의 $\dfrac{6}{9}$의 ☐ 입니다.

6의 $\dfrac{5}{6}$는 ☐ 입니다.

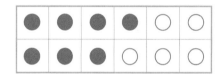

12의 $\dfrac{7}{12}$은 ☐ 입니다.

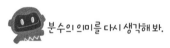
분수의 의미를 다시 생각해 봐.

■▲ : 전체를 똑같이 ■로 나눈 것 중의 ▲

🍀 먹은 것과 남은 것을 분수로 나타내세요.

먹은 것 ☐ 남은 것 ☐
☐   ☐

3개 먹었어.

먹은 것 ☐ 남은 것 ☐
☐   ☐

❤ 색칠한 부분은 전체의 몇 분의 몇인지 구하세요.

6은 9를 ⬛3⬛ 묶음으로 똑같이 나눈 것 중 ⬛2⬛ 묶음입니다.

6은 9의 $\dfrac{\square}{\square}$ 입니다.

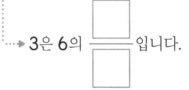

3은 6을 ⬜ 묶음으로 똑같이 나눈 것 중 ⬜ 묶음입니다.

3은 6의 $\dfrac{\square}{\square}$ 입니다.

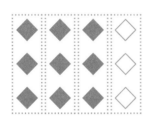

9는 12를 ⬜ 묶음으로 똑같이 나눈 것 중 ⬜ 묶음입니다.

9는 12의 $\dfrac{\square}{\square}$ 입니다.

8은 16을 ⬜ 묶음으로 똑같이 나눈 것 중 ⬜ 묶음입니다.

8은 16의 $\dfrac{\square}{\square}$ 입니다.

부분은 전체의 얼마인지 수로 나타낼 수 있어.

$\dfrac{(색칠한 부분의 묶음 수)}{(전체 묶음 수)}$

➕ 그림을 보고 ☐ 안에 알맞은 수를 쓰세요.

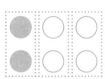

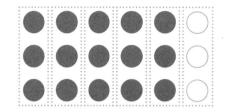

2는 6의 ☐/☐

8은 12의 ☐/☐

15는 18의 ☐/☐

➕ 6은 12의 얼마인지 12를 여러 가지 방법으로 묶어 구하세요.

2개씩 묶기

6은 12의 ☐/☐

3개씩 묶기

6은 12의 ☐/☐

6개씩 묶기

6은 12의 ☐/☐

부분의 수가 같아도
묶는 방법에 따라
분수 표현이 다를 수 있어.

35

➕ 그림을 보고 단위분수만큼을 구하세요.

→ 6의 $\dfrac{1}{3}$은 ☐ (=6÷3)

┈┈ 6을 **3**묶음으로 똑같이 나눈 것 중 **1**묶음은 ☐

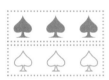

→ 6의 $\dfrac{1}{2}$은 ☐ (=6÷2)

┈┈ 6을 **2**묶음으로 똑같이 나눈 것 중 **1**묶음은 ☐

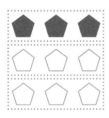

→ 9의 $\dfrac{1}{3}$은 ☐

┈┈ 9를 **3**묶음으로 똑같이 나눈 것 중 **1**묶음은 ☐

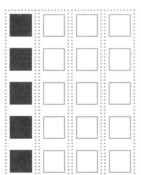

→ 20의 $\dfrac{1}{4}$은 ☐

┈┈ 20을 **4**묶음으로 똑같이 나눈 것 중 **1**묶음은 ☐

➕ 관계있는 것끼리 선으로 이으세요.

  $10의 \frac{1}{5}$ $9의 \frac{1}{9}$ $16의 \frac{1}{4}$ $24의 \frac{1}{8}$

(4) (2) (1) (3)

$\frac{\square}{\square}$

분수의 모양이 나를
닮지 않았니?

 ●의 $\frac{1}{▲}$ 을 간단히 구할 수 있어?

 ● ÷ ▲

분수는 나눗셈이야.

➕ ☐ 안에 알맞은 수를 쓰세요.

$\boxed{}$ 의 $\frac{1}{4}$ 은 2입니다.

1묶음이 2이므로 4묶음은 2×4=8이에요.

$\boxed{}$ 의 $\frac{1}{6}$ 은 3입니다.

 1묶음이 4니까
3묶음은 얼마야?

$\boxed{}$ 의 $\frac{1}{3}$ 은 4입니다.

$\boxed{}$ 의 $\frac{1}{5}$ 은 6입니다.

4일 분수만큼 은 분모만큼 나눈 몫에 분자만큼을 곱한 값이야.

➕ 그림을 보고 분수만큼을 구하세요.

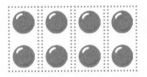

8의 $\frac{1}{4}$ 은 ☐ (= 8 ÷ 4)

3배 ↓   ↓ 3배

8의 $\frac{3}{4}$ 은 ☐

8을 4묶음으로 똑같이
나눈 것 중 1묶음은 2야.

3묶음은 2 × 3이므로
6이야.

10의 $\frac{1}{5}$ 은 ☐ (= 10 ÷ 5)

4배 ↓   ↓ 4배

10의 $\frac{4}{5}$ 는 ☐

12의 $\frac{1}{3}$ 은 ☐

2배 ↓   ↓ 2배

12의 $\frac{2}{3}$ 는 ☐

18의 $\frac{1}{6}$ 은 ☐

5배 ↓   ↓ 5배

18의 $\frac{5}{6}$ 는 ☐

💠 ☐ 안에 알맞은 수를 쓰세요.

15의 $\dfrac{1}{5}$ = ☐

2배 ↓   ↓ 2배

15의 $\dfrac{2}{5}$ = ☐

16의 $\dfrac{1}{4}$ = ☐

3배 ↓   ↓ 3배

16의 $\dfrac{3}{4}$ = ☐

14의 $\dfrac{1}{7}$ = ☐

↓   ↓

14의 $\dfrac{4}{7}$ = ☐

24의 $\dfrac{1}{8}$ = ☐

↓   ↓

24의 $\dfrac{5}{8}$ = ☐

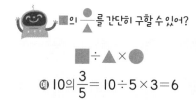

■의 $\dfrac{●}{▲}$ 를 간단히 구할 수 있어?

■ ÷ ▲ × ●

예 10의 $\dfrac{3}{5}$ = $10 \div 5 \times 3 = 6$

💠 빈칸에 알맞은 수를 쓰세요.

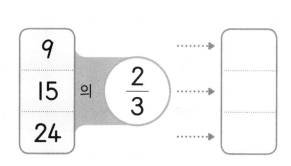

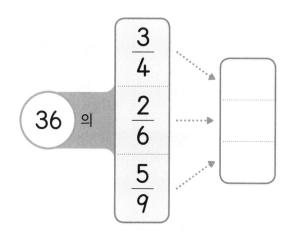

길이의 분수만큼
부분의 길이는 전체의 길이를 분모만큼 나누어 분자만큼 곱한 길이야.

➕ 막대를 보고 주어진 길이의 분수만큼의 길이를 구하세요.

0 1 2 3 4 5 6 7 8 (cm)

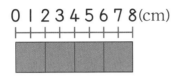

8 cm의 $\frac{1}{4}$은 □ cm입니다.

8 cm의 $\frac{3}{4}$은 □ cm입니다.

전체를 4도막으로 똑같이 나누면 한 도막은 $8 \div 4 = 2$(cm)야.

0 1 2 3 4 5 6 7 8 9 (cm)

9 cm의 $\frac{1}{3}$은 □ cm입니다.

9 cm의 $\frac{2}{3}$는 □ cm입니다.

0 1 2 3 4 5 6 7 8 9 10 (cm)

10 cm의 $\frac{1}{5}$은 □ cm입니다.

10 cm의 $\frac{4}{5}$는 □ cm입니다.

0 2 4 6 (cm)

6 cm의 $\frac{2}{3}$는 □ cm입니다.

0 4 8 12 16 (cm)

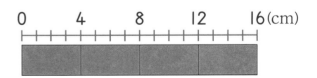

16 cm의 $\frac{2}{4}$는 □ cm입니다.

➕ 분수만큼의 길이를 구하세요.

10 cm의 $\frac{3}{5}$ ☐ cm

10÷5=2 ➡ 2×3=☐

18 cm의 $\frac{5}{6}$ ☐ cm

24 cm의 $\frac{7}{8}$ ☐ cm

30 cm의 $\frac{2}{5}$ ☐ cm

먼저 분모만큼 나누어
1부분의 길이를 구하고,

분자만큼 곱하여
부분의 수를 구해.

➕ 동생과 누나의 키를 구하세요.

아빠: 180 cm

아빠 키의 $\frac{2}{3}$

동생: ☐ cm

아빠 키의 $\frac{4}{5}$

누나: ☐ cm

41

➕ 그림을 보고 □ 안에 알맞은 수를 쓰세요.

6은 8의 $\dfrac{\Box}{\Box}$

8은 16의 $\dfrac{\Box}{\Box}$

➕ □ 안에 알맞은 수를 쓰세요.

10의 $\dfrac{1}{5}$ = $\Box$

10의 $\dfrac{3}{5}$ = $\Box$

36의 $\dfrac{1}{9}$ = $\Box$

36의 $\dfrac{7}{9}$ = $\Box$

➕ 분수만큼의 길이를 구하세요.

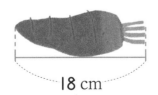

18 cm

당근 길이의 $\dfrac{5}{6}$는 $\Box$ cm

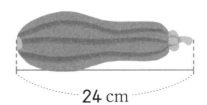

24 cm

애호박 길이의 $\dfrac{3}{8}$은 $\Box$ cm

4주

분수의 종류

학습 기준

• 분수를 진분수, 가분수, 대분수로 분류할 수 있나요?   ☐

• 대분수를 가분수로 나타낼 수 있나요?   ☐

• 가분수를 대분수로 나타낼 수 있나요?   ☐

• 가분수끼리, 대분수끼리 크기를 비교할 수 있나요?   ☐

• 가분수와 대분수의 크기를 비교할 수 있나요?   ☐

➕ 그림을 보고 진분수, 가분수, 대분수를 쓰고 읽어 보세요.

진분수 분자가 분모보다 작은 분수

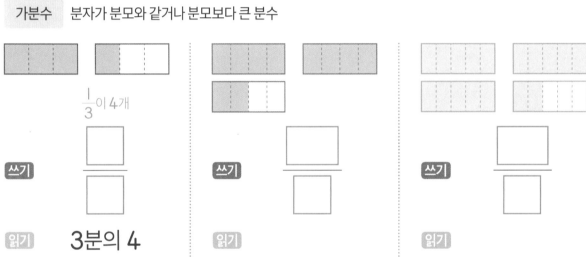

가분수 분자가 분모와 같거나 분모보다 큰 분수

$\dfrac{1}{3}$이 4개

쓰기

읽기 3분의 4

쓰기

읽기

쓰기

읽기

대분수 자연수와 진분수로 이루어진 분수

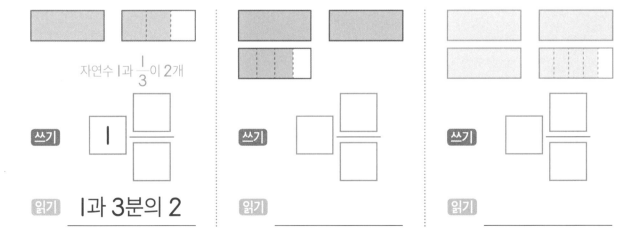

자연수 1과 $\dfrac{1}{3}$이 2개

쓰기 1

읽기 1과 3분의 2

쓰기

읽기

쓰기

읽기

➕ 진분수는 '진', 가분수는 '가', 대분수는 '대'를 쓰세요.

$1\dfrac{2}{3}$ 대

$\dfrac{5}{6}$ ____

$\dfrac{9}{4}$ ____

$\dfrac{4}{8}$ ____

$5\dfrac{1}{12}$ ____

$\dfrac{17}{17}$ ____

대분수도 주의해.

자연수··· ■ ●
▲
진분수

$\dfrac{4}{4}$ 는 진분수야, 가분수야?

분자랑 분모가 같아도 가분수야!

➕ 조건에 만족하는 분수가 되도록 ☐ 안에 알맞은 수를 모두 찾아 ◯표 하세요.

$\dfrac{\square}{7}$: 진분수

$\dfrac{\square}{5}$: 가분수

$3\dfrac{\square}{8}$: 대분수

| 5 | 6 | 7 | 8 |

| 2 | 4 | 5 | 8 |

| 4 | 7 | 8 | 9 |

대분수를 가분수로 나타내기

자연수를 가분수로 나타내어 나머지 진분수와 더해.

그림을 보고 대분수를 가분수로 나타내세요.

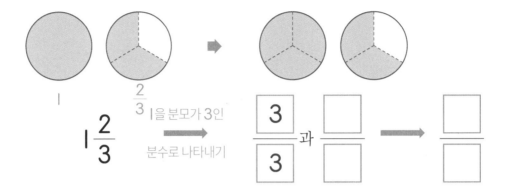

$1\dfrac{2}{3}$

1을 분모가 3인
분수로 나타내기

$\dfrac{3}{3}$과 $\dfrac{\square}{\square}$ ➡ $\dfrac{\square}{\square}$

$1=\dfrac{4}{4}, 2=\dfrac{8}{4}$

$2\dfrac{3}{4}$

2를 분모가 4인
분수로 나타내기

$\dfrac{\square}{\square}$과 $\dfrac{\square}{\square}$ ➡ $\dfrac{\square}{\square}$

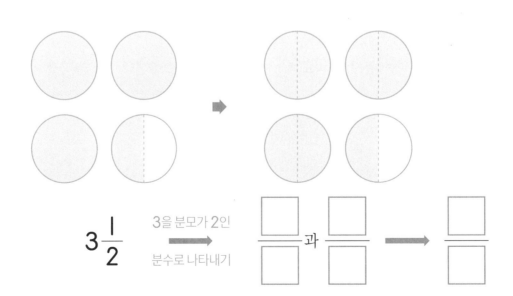

$3\dfrac{1}{2}$

3을 분모가 2인
분수로 나타내기

$\dfrac{\square}{\square}$과 $\dfrac{\square}{\square}$ ➡ $\dfrac{\square}{\square}$

➕ 대분수를 가분수로 나타내세요.

$1\dfrac{3}{4} = \dfrac{\boxed{}}{\boxed{}}$
$\dfrac{4}{4}$와$\dfrac{3}{4}$

$2\dfrac{3}{5} = \dfrac{\boxed{}}{\boxed{}}$

$5\dfrac{4}{7} = \dfrac{\boxed{}}{\boxed{}}$

$3\dfrac{5}{6} = \dfrac{\boxed{}}{\boxed{}}$

$4\dfrac{2}{3} = \dfrac{\boxed{}}{\boxed{}}$

$2\dfrac{6}{11} = \dfrac{\boxed{}}{\boxed{}}$

 자연수를 분모와 곱하여 분자에 더하면 간단해.

$$2\dfrac{1}{3} = \dfrac{2 \times 3 + 1}{3} = \dfrac{7}{3}$$

➕ 같은 것끼리 선으로 이으세요.

$2\dfrac{2}{4}$ $3\dfrac{1}{3}$ $3\dfrac{3}{4}$ $2\dfrac{2}{3}$

$\dfrac{15}{4}$ $\dfrac{8}{3}$ $\dfrac{10}{4}$ $\dfrac{10}{3}$

가분수를 대분수로 나타내기

자연수가 될 수 있는 가분수는 자연수로,
나머지는 진분수로 나타내.

➕ 그림을 보고 가분수를 대분수로 나타내세요.

$$\frac{5}{2} \xrightarrow[\text{분수로 가르기}]{\text{자연수가 될 수 있는}} \frac{4}{2} \text{와} \frac{\square}{\square} \xrightarrow[\text{바꾸기}]{\text{자연수로}} \square \frac{\square}{\square}$$

$$\frac{2}{2}=1, \frac{4}{2}=2, \frac{6}{2}=3\cdots$$

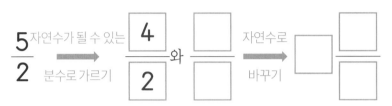

$$\frac{5}{4} \longrightarrow \frac{\square}{\square} \text{와} \frac{\square}{\square} \longrightarrow \square \frac{\square}{\square}$$

$$\frac{8}{3} \longrightarrow \frac{\square}{\square} \text{과} \frac{\square}{\square} \longrightarrow \square \frac{\square}{\square}$$

➕ 가분수를 대분수로 나타내세요.

$\dfrac{7}{6}$ = ⬚ $\dfrac{⬚}{⬚}$

$\dfrac{19}{5}$ = ⬚ $\dfrac{⬚}{⬚}$

$\dfrac{11}{4}$ = ⬚ $\dfrac{⬚}{⬚}$

$\dfrac{17}{2}$ = ⬚ $\dfrac{⬚}{⬚}$

$\dfrac{30}{7}$ = ⬚ $\dfrac{⬚}{⬚}$

$\dfrac{47}{14}$ = ⬚ $\dfrac{⬚}{⬚}$

분자를 분모로 나누어 몫을 자연수에, 나머지를 분자에 써.

$$\dfrac{7}{3} = 7 \div 3 = 2 \cdots 1 \qquad 2\dfrac{1}{3}$$

➕ 수직선을 보고 ⬚ 안에 알맞은 수를 쓰세요.

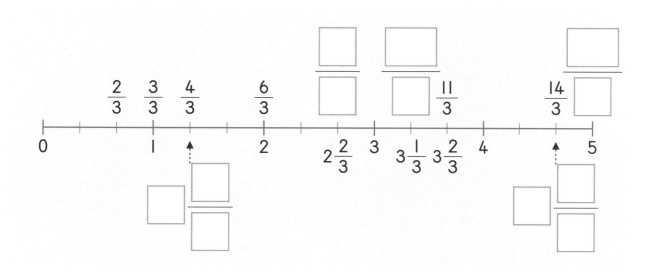

가분수, 대분수의 크기 비교 를 각각 2가지의 경우로 나누어 알아보자.

➕ 가분수만큼 색칠하고 ◯ 안에 >, <를 알맞게 쓰세요.

분모가 같은 경우

$\frac{5}{3}$

$\frac{7}{3}$

$\frac{5}{3}$ ◯ $\frac{7}{3}$

$\frac{9}{5}$

$\frac{8}{5}$

$\frac{9}{5}$ ◯ $\frac{8}{5}$

알맞은 말에 ◯ 해 봐.

분모가 같은 가분수는 분자가 (클수록 , 작을수록) 큽니다.

분자가 같은 경우

$\frac{5}{3}$

$\frac{5}{4}$

$\frac{5}{3}$ ◯ $\frac{5}{4}$

$\frac{12}{7}$

$\frac{12}{5}$

$\frac{12}{7}$ ◯ $\frac{12}{5}$

분자가 같은 가분수는 분모가 (클수록 , 작을수록) 큽니다.

✚ 대분수를 수직선에 점을 찍어 나타내고 ◯ 안에 >, < 를 알맞게 쓰세요.

자연수가 다른 경우

$1\dfrac{1}{3}$ ◯ $3\dfrac{2}{3}$

$4\dfrac{2}{4}$ ◯ $3\dfrac{3}{4}$

자연수가 다른 대분수는 [   ] 가 클수록 큽니다.

자연수가 같은 경우

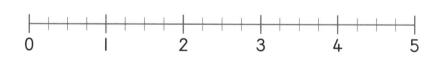

$1\dfrac{3}{4}$ ◯ $1\dfrac{1}{4}$

$2\dfrac{3}{5}$ ◯ $2\dfrac{4}{5}$

대분수는 자연수와
진분수로 이루어졌어.

자연수가 같은 대분수는 [   ] 가 클수록 큽니다.

51

가분수와 대분수의 크기 비교 같은 종류의 분수로 바꾸어 크기를 비교해.

➕ 가분수와 대분수의 크기를 비교하여 ◯ 안에 >, =, <를 알맞게 쓰세요.

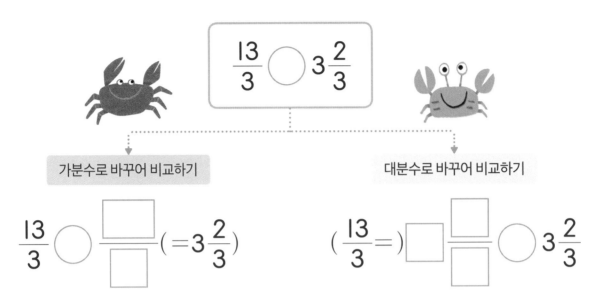

$$\frac{13}{3} \bigcirc 3\frac{2}{3}$$

가분수로 바꾸어 비교하기

$$\frac{13}{3} \bigcirc \frac{\square}{\square} \left(= 3\frac{2}{3} \right)$$

대분수로 바꾸어 비교하기

$$\left(\frac{13}{3} = \right) \square \frac{\square}{\square} \bigcirc 3\frac{2}{3}$$

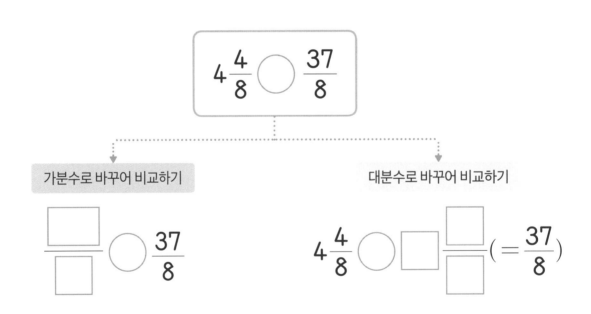

$$4\frac{4}{8} \bigcirc \frac{37}{8}$$

가분수로 바꾸어 비교하기

$$\frac{\square}{\square} \bigcirc \frac{37}{8}$$

대분수로 바꾸어 비교하기

$$4\frac{4}{8} \bigcirc \square\frac{\square}{\square} \left(= \frac{37}{8} \right)$$

$$\frac{11}{2} \bigcirc 5\frac{1}{2}$$

$$7\frac{3}{7} \bigcirc \frac{50}{7}$$

$$\frac{61}{12} \bigcirc 4\frac{11}{12}$$

➕ 짝지어진 두 분수의 크기를 비교하여 더 큰 수를 위에 쓰세요.

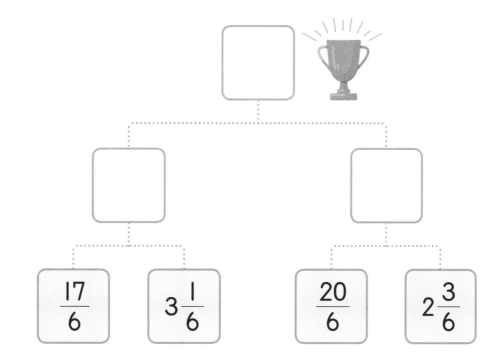

🗨 토너먼트 대결이야!

➕ 가장 큰 수에 ○표, 가장 작은 수에 △표 하세요.

✚ 관계있는 것끼리 선으로 이으세요.

진분수

가분수

대분수

$\dfrac{15}{5}$

$\dfrac{3}{8}$

$2\dfrac{4}{7}$

$\dfrac{9}{9}$

✚ 대분수는 가분수로, 가분수는 대분수로 나타내세요.

$2\dfrac{3}{5} = \dfrac{\square}{\square}$

$\dfrac{9}{4} = \square\dfrac{\square}{\square}$

$\dfrac{80}{3} = \square\dfrac{\square}{\square}$

✚ ◯ 안에 >, =, <를 알맞게 쓰세요.

$\dfrac{8}{3}$ ◯ $4\dfrac{1}{3}$

$4\dfrac{1}{6}$ ◯ $\dfrac{25}{6}$

$\dfrac{57}{9}$ ◯ $6\dfrac{2}{9}$

마무리 평가

마무리 평가에서는 1, 2, 3, 4주 차의 유형이 순서대로 나옵니다.

문제가 틀리면 몇 주 차인지 확인하여 반드시 다시 한번 복습합니다.

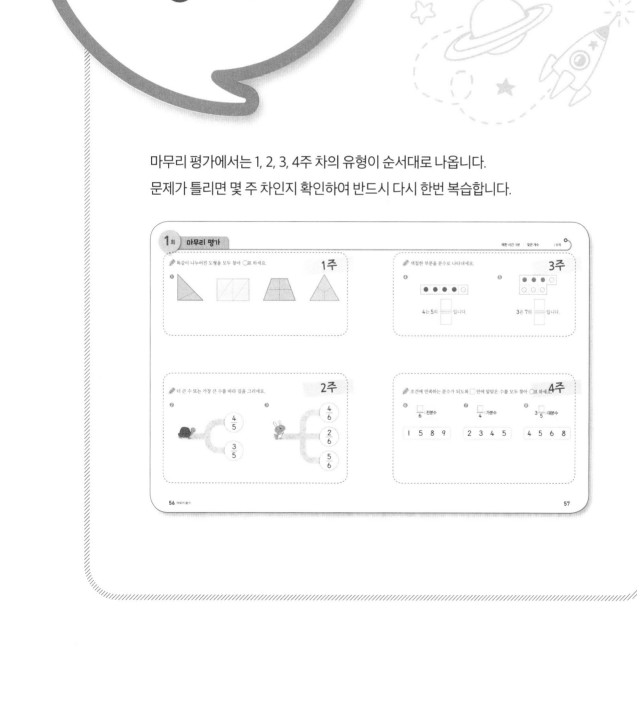

✏️ 똑같이 나누어진 도형을 모두 찾아 ◯표 하세요.

❶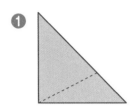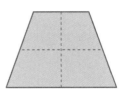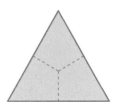

✏️ 더 큰 수 또는 가장 큰 수를 따라 길을 그리세요.

❷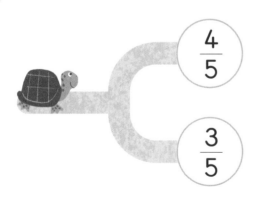

❸

✏️ 색칠한 부분을 분수로 나타내세요.

❹

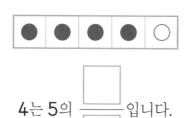

4는 5의 $\dfrac{}{}$ 입니다.

❺

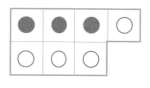

3은 7의 $\dfrac{}{}$ 입니다.

✏️ 조건에 만족하는 분수가 되도록 ☐ 안에 알맞은 수를 모두 찾아 ◯표 하세요.

❻

$\dfrac{\square}{6}$: 진분수

| 1 5 8 9 |

❼

$\dfrac{\square}{4}$: 가분수

| 2 3 4 5 |

❽

$3\dfrac{\square}{5}$: 대분수

| 4 5 6 8 |

57

✏️ 관계있는 것끼리 선으로 이으세요.

❶ 전체를 똑같이
4로 나눈 것 중의 2
○

❷ 전체를 똑같이
6으로 나눈 것 중의 2
○

❸ 전체를 똑같이
4로 나눈 것 중의 3
○

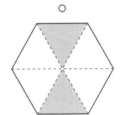

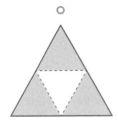

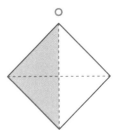

✏️ ○ 안에 >, <를 알맞게 쓰세요.

❹ $\dfrac{1}{2}$ ◯ $\dfrac{1}{3}$

❺ $\dfrac{1}{8}$ ◯ $\dfrac{1}{5}$

❻ $\dfrac{2}{3}$ ◯ $\dfrac{2}{6}$

✎ 그림을 보고 □ 안에 알맞은 수를 쓰세요.

❼

$$4는 6의 \frac{\boxed{}}{\boxed{}}$$

❽

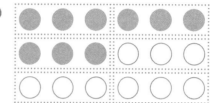

$$9는 18의 \frac{\boxed{}}{\boxed{}}$$

✎ 대분수를 가분수로 나타내세요.

❾
$$1\frac{3}{5} = \frac{\boxed{}}{\boxed{}}$$

❿
$$4\frac{1}{3} = \frac{\boxed{}}{\boxed{}}$$

⓫
$$3\frac{5}{9} = \frac{\boxed{}}{\boxed{}}$$

✏️ 빈칸에 알맞은 수를 쓰세요.

❶

$\dfrac{3}{5}$: 전체를 똑같이 ☐ 로

나눈 것 중의 ☐

❷

$\dfrac{☐}{☐}$: 전체를 똑같이 **8**로

나눈 것 중의 **6**

✏️ 색칠한 부분을 분수와 소수로 나타내세요.

❸

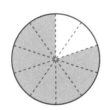

분수　　소수

$\dfrac{☐}{☐} = \boxed{}$

❹

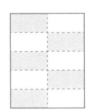

분수　　소수

$\dfrac{☐}{☐} = \boxed{}$

✏️ 관계있는 것끼리 선으로 이으세요.

❺ $6의 \dfrac{1}{3}$ ❻ $8의 \dfrac{1}{2}$ ❼ $15의 \dfrac{1}{5}$ ❽ $7의 \dfrac{1}{7}$

◯ 1 ◯ 3 ◯ 2 ◯ 4

✏️ 가분수를 대분수로 나타내세요.

❾ $\dfrac{7}{2} = \square\,\dfrac{\square}{\square}$

❿ $\dfrac{14}{6} = \square\,\dfrac{\square}{\square}$

⓫ $\dfrac{51}{11} = \square\,\dfrac{\square}{\square}$

✏️ 주어진 분수만큼 색칠하세요.

❶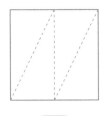

$\dfrac{1}{4}$

❷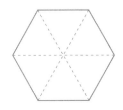

$\dfrac{3}{6}$

❸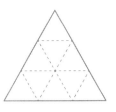

$\dfrac{7}{9}$

✏️ 물건의 길이를 재어 보고 ☐ 안에 알맞은 수를 쓰세요.

❹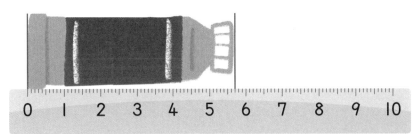

☐ cm ☐ mm = ☐ mm = ☐ cm

✏️ 나눗셈을 하세요.

❺ 8의 $\dfrac{1}{4}$ = ☐

8의 $\dfrac{3}{4}$ = ☐

❻ 24의 $\dfrac{1}{6}$ = ☐

24의 $\dfrac{4}{6}$ = ☐

✏️ ◯ 안에 >, <를 알맞게 쓰세요.

❼ $\dfrac{8}{5}$ ◯ $\dfrac{6}{5}$

❽ $\dfrac{9}{4}$ ◯ $\dfrac{9}{2}$

❾ $3\dfrac{1}{3}$ ◯ $1\dfrac{2}{3}$

❿ $4\dfrac{5}{8}$ ◯ $4\dfrac{7}{8}$

✏️ 설명하는 수만큼 색칠하고 분수로 나타내세요.

❶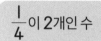
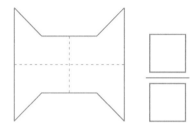

❷ $\dfrac{1}{6}$이 5개인 수
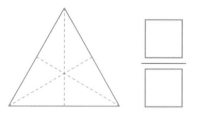

✏️ ◯ 안에 >, <를 알맞게 쓰세요.

❸ 1.9 ◯ 2.5

❹ 4.1 ◯ 2.3

❺ 3.2 ◯ 3.6

❻ 1.8 ◯ 1.9

✏️ 분수만큼의 길이를 구하세요.

❼

12 cm

딱풀 길이의 $\dfrac{3}{4}$ 은 ☐ cm

❽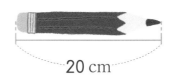

20 cm

연필 길이의 $\dfrac{2}{5}$ 는 ☐ cm

✏️ 짝지어진 두 분수의 크기를 비교하여 더 큰 수를 위에 쓰세요.

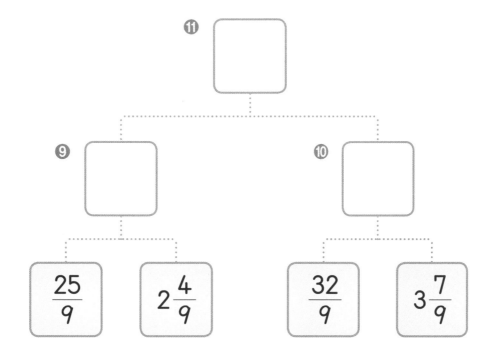

❾   ❿

$\dfrac{25}{9}$ $2\dfrac{4}{9}$ $\dfrac{32}{9}$ $3\dfrac{7}{9}$

MEMO

실력 평가

초3_4권

시간	2분 30초	문제 수	20개
배점	1문제 5점	/ 총 100점	

날짜: _____ 월 _____ 일

이름: _____

점수: _____ 점

사고가 자라는 수학
씨투엠

대분수는 가분수로, 가분수는 대분수로 나타내세요.

① $4\dfrac{1}{6} =$

② $5\dfrac{2}{3} =$

③ $2\dfrac{5}{8} =$

④ $1\dfrac{6}{7} =$

⑤ $3\dfrac{2}{5} =$

⑥ $8\dfrac{3}{4} =$

⑦ $6\dfrac{7}{12} =$

⑧ $3\dfrac{3}{9} =$

⑨ $4\dfrac{7}{11} =$

⑩ $7\dfrac{7}{8} =$

⑪ $\dfrac{37}{5} =$

⑫ $\dfrac{77}{8} =$

⑬ $\dfrac{40}{6} =$

⑭ $\dfrac{32}{9} =$

⑮ $\dfrac{17}{2} =$

⑯ $\dfrac{59}{10} =$

⑰ $\dfrac{30}{7} =$

⑱ $\dfrac{53}{9} =$

⑲ $\dfrac{77}{12} =$

⑳ $\dfrac{51}{4} =$

수백판 100

유아·초등 수학의 필수 개념

교과연계 수백판 100

유아·초등수학에서 꼭 해야 할 필수 교구 수백판 100

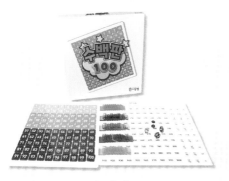

수백판

+

워크북(2권)

❶ 편리한 설계로
유아부터 초등까지
누구나 쉽게 이용가능!

❷ 보다 다양한 활동을 위해
읽기판과 천판
추가!

❸ 수칩 구분이 쉬워
정리와 보관까지
한 번에!

❹ 초등수학교과를 연계한 체계적인 워크북과
함께하면 스스로 실력이 쑥쑥!

100%
교과 연계
워크북

교과연계 단위 소개와 배워
야 할 학습목표를 한눈에 볼
수 있습니다.

씨투엠이 만들면 기준이 됩니다!

초등 연산의 기준

칸토의 연산

정답

분수와 소수의 기초

1주: 분수의 기초

1일 똑같이 나누기

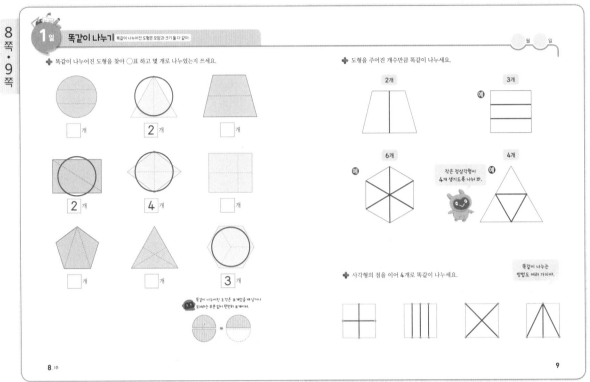

2일 전체에 대한 부분의 크기

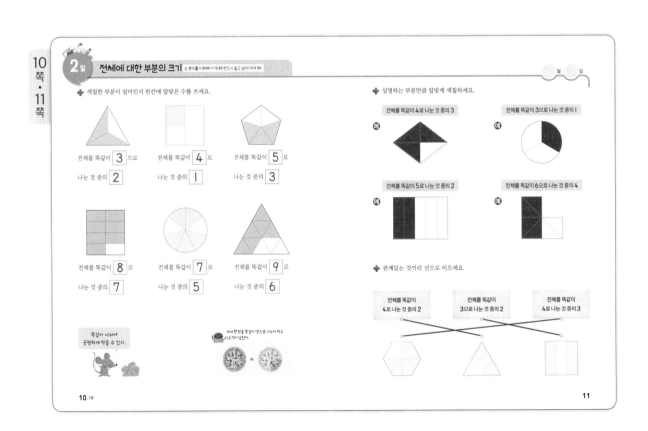

2

3일 분수로 나타내기(1) 분수는 전체에 대한 부분의 크기를 분자/분모 로 나타낸 수야

월 일

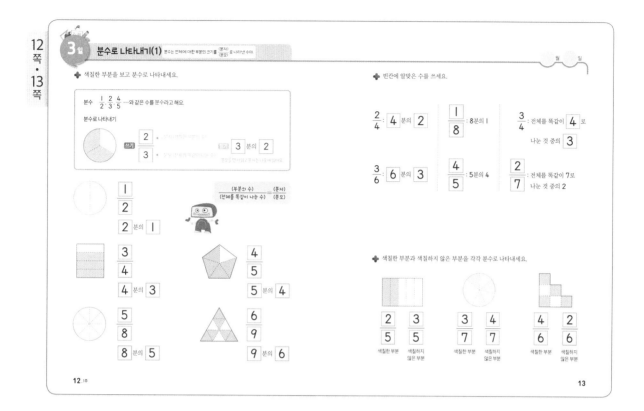

➕ 색칠한 부분을 보고 분수로 나타내세요.

분수 $\frac{1}{2}$, $\frac{2}{3}$, $\frac{4}{5}$ …와 같은 수를 분수라고 해요.

분수로 나타내기

쓰기 $\frac{2}{3}$

읽기 3 분의 2

$\frac{1}{2}$
2 분의 1

$\frac{(부분의 수)}{(전체를 똑같이 나눈 수)} = \frac{(분자)}{(분모)}$

$\frac{3}{4}$
4 분의 3

$\frac{4}{5}$
5 분의 4

$\frac{5}{8}$
8 분의 5

$\frac{6}{9}$
9 분의 6

➕ 빈칸에 알맞은 수를 쓰세요.

$\frac{2}{4}$: 4 분의 2

$\frac{1}{8}$: 8분의 1

$\frac{3}{4}$: 전체를 똑같이 4 로 나눈 것 중의 3

$\frac{3}{6}$: 6 분의 3

$\frac{4}{5}$: 5분의 4

$\frac{2}{7}$: 전체를 똑같이 7로 나눈 것 중의 2

➕ 색칠한 부분과 색칠하지 않은 부분을 각각 분수로 나타내세요.

$\frac{2}{5}$ 색칠한 부분 $\frac{3}{5}$ 색칠하지 않은 부분

$\frac{3}{7}$ 색칠한 부분 $\frac{4}{7}$ 색칠하지 않은 부분

$\frac{4}{6}$ 색칠한 부분 $\frac{2}{6}$ 색칠하지 않은 부분

12 .1주

13

4일 분수로 나타내기(2) 그림을 분수로, 분수를 그림으로 둘 다 나타낼 수 있어야 해.

월 일

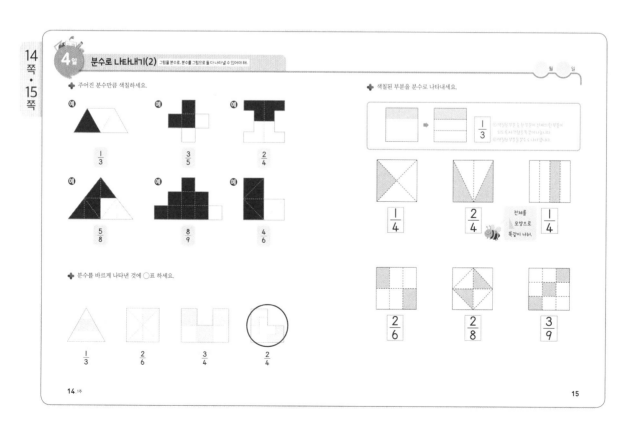

➕ 주어진 분수만큼 색칠하세요.

예 $\frac{1}{3}$

예 $\frac{3}{5}$

예 $\frac{2}{4}$

예 $\frac{5}{8}$

예 $\frac{8}{9}$

예 $\frac{4}{6}$

➕ 분수를 바르게 나타낸 것에 ◯표 하세요.

$\frac{1}{3}$

$\frac{2}{6}$

$\frac{3}{4}$

$\frac{2}{4}$

➕ 색칠된 부분을 분수로 나타내세요.

$\frac{1}{3}$

$\frac{1}{4}$

$\frac{2}{4}$

전체를 모양으로 똑같이 나눠.

$\frac{1}{4}$

$\frac{2}{6}$

$\frac{2}{8}$

$\frac{3}{9}$

14 .1주

15

3

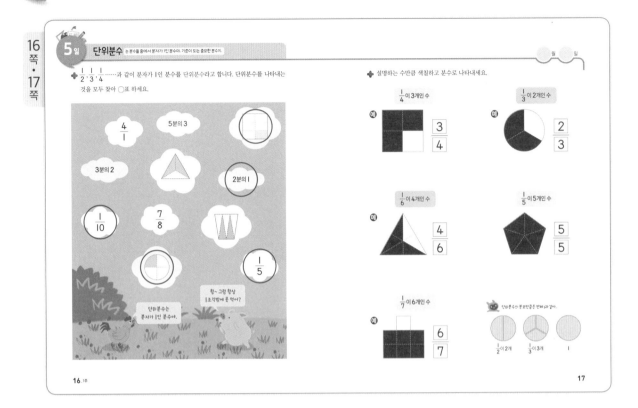

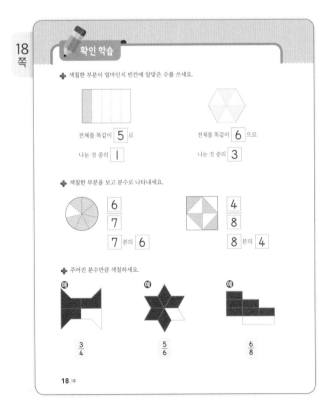

1주

2주 : 분수와 소수

1일 **분모가 같은 분수의 크기 비교** 분모가 같은 분수는 분자가 큰 수가 더 커.

월 일

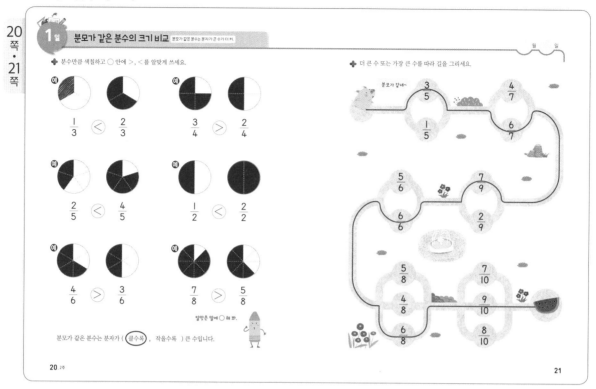

➕ 분수만큼 색칠하고 ◯ 안에 >, <를 알맞게 쓰세요.

예 $\frac{1}{3}$ < $\frac{2}{3}$ 예 $\frac{3}{4}$ > $\frac{2}{4}$

예 $\frac{2}{5}$ < $\frac{4}{5}$ 예 $\frac{1}{2}$ < $\frac{2}{2}$

예 $\frac{4}{6}$ > $\frac{3}{6}$ 예 $\frac{7}{8}$ > $\frac{5}{8}$

알맞은 말에 ◯ 해 봐.

분모가 같은 분수는 분자가 (클수록 , 작을수록) 큰 수입니다.

➕ 더 큰 수 또는 가장 큰 수를 따라 길을 그리세요.

분모가 같네~

$\frac{3}{5}$ $\frac{4}{7}$

$\frac{1}{5}$ $\frac{6}{7}$

$\frac{5}{6}$ $\frac{7}{9}$

$\frac{6}{6}$ $\frac{2}{9}$

$\frac{5}{8}$ $\frac{7}{10}$

$\frac{4}{8}$ $\frac{9}{10}$

$\frac{6}{8}$ $\frac{8}{10}$

20 · 2주

21

2일 **분자가 같은 분수의 크기 비교** 분자가 같은 분수는 분모가 작은 수가 더 커.

월 일

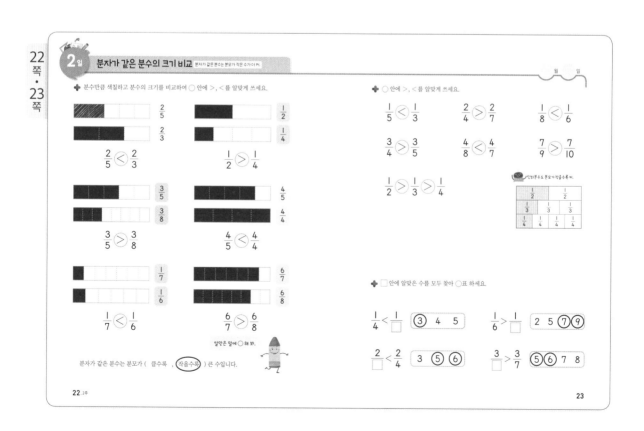

➕ 분수만큼 색칠하고 분수의 크기를 비교하여 ◯ 안에 >, <를 알맞게 쓰세요.

$\frac{2}{5}$ $\frac{1}{2}$
$\frac{2}{3}$ $\frac{1}{4}$

$\frac{2}{5}$ < $\frac{2}{3}$ $\frac{1}{2}$ > $\frac{1}{4}$

$\frac{3}{5}$ $\frac{4}{5}$
$\frac{3}{8}$ $\frac{4}{4}$

$\frac{3}{5}$ > $\frac{3}{8}$ $\frac{4}{5}$ < $\frac{4}{4}$

$\frac{1}{7}$ $\frac{6}{7}$
$\frac{1}{6}$ $\frac{6}{8}$

$\frac{1}{7}$ < $\frac{1}{6}$ $\frac{6}{7}$ > $\frac{6}{8}$

알맞은 말에 ◯ 해 봐.

분자가 같은 분수는 분모가 (클수록 , 작을수록) 큰 수입니다.

➕ ◯ 안에 >, <를 알맞게 쓰세요.

$\frac{1}{5}$ < $\frac{1}{3}$ $\frac{2}{4}$ > $\frac{2}{7}$ $\frac{1}{8}$ < $\frac{1}{6}$

$\frac{3}{4}$ > $\frac{3}{5}$ $\frac{4}{8}$ < $\frac{4}{7}$ $\frac{7}{9}$ > $\frac{7}{10}$

$\frac{1}{2}$ > $\frac{1}{3}$ > $\frac{1}{4}$

$\frac{1}{2}$		$\frac{1}{2}$	
$\frac{1}{3}$	$\frac{1}{3}$		$\frac{1}{3}$
$\frac{1}{4}$	$\frac{1}{4}$	$\frac{1}{4}$	$\frac{1}{4}$

➕ ☐ 안에 알맞은 수를 모두 찾아 ◯표 하세요.

$\frac{1}{4}$ < $\frac{1}{☐}$ ③ 4 5 $\frac{1}{6}$ > $\frac{1}{☐}$ 2 5 ⑦ ⑨

$\frac{2}{☐}$ < $\frac{2}{4}$ 3 ⑤ ⑥ $\frac{3}{☐}$ > $\frac{3}{7}$ ⑤ ⑥ 7 8

22 · 2주

23

5

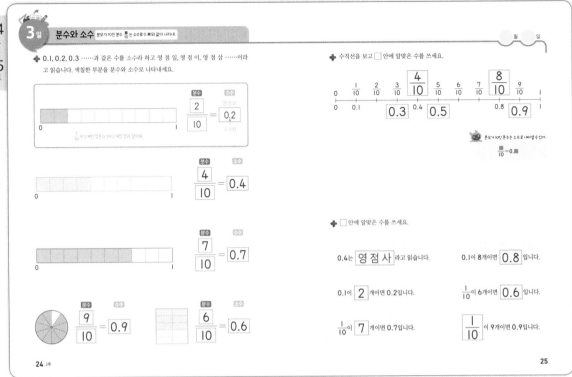

3일 분수와 소수 분모가 10인 분수 ▆는 소수로 0.▆와 같이 나타내.

➕ 0.1, 0.2, 0.3 ……과 같은 수를 소수라 하고 영 점 일, 영 점 이, 영 점 삼 ……이라
고 읽습니다. 색칠한 부분을 분수와 소수로 나타내세요.

분수 소수
$\frac{2}{10}$ = 0.2

$\frac{1}{10}$ 이 2 개인 것은 0.1이 2 개인 것과 같아요.

분수 소수
$\frac{4}{10}$ = 0.4

분수 소수
$\frac{7}{10}$ = 0.7

분수 소수
$\frac{9}{10}$ = 0.9

분수 소수
$\frac{6}{10}$ = 0.6

➕ 수직선을 보고 □안에 알맞은 수를 쓰세요.

0 $\frac{1}{10}$ $\frac{2}{10}$ $\frac{3}{10}$ $\frac{4}{10}$ $\frac{5}{10}$ $\frac{6}{10}$ $\frac{7}{10}$ $\frac{8}{10}$ $\frac{9}{10}$ 1
0 0.1 0.3 0.4 0.5 0.8 0.9

분모가 10인 분수는 소수로 나타낼 수 있어.
$\frac{■}{10}$ = 0.■

➕ □안에 알맞은 수를 쓰세요.

0.4는 영 점 사 라고 읽습니다.

0.1이 8개이면 0.8 입니다.

0.1이 2 개이면 0.2입니다.

$\frac{1}{10}$이 6개이면 0.6 입니다.

$\frac{1}{10}$이 7 개이면 0.7입니다.

$\frac{1}{10}$ 이 9개이면 0.9입니다.

24 .2주

25

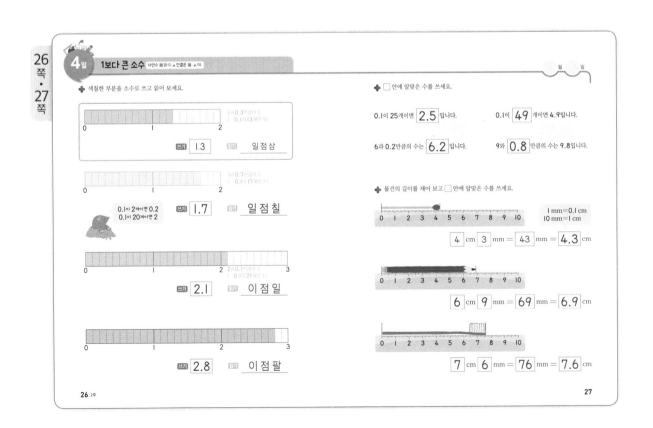

4일 1보다 큰 소수 자연수 ■와 0.▲만큼은 ■.▲야.

➕ 색칠한 부분을 소수로 쓰고 읽어 보세요.

0 1 2
1과 0.3만큼인 수
0.1이 13개인 수
쓰기 1.3 읽기 일 점 삼

0 1 2
1과 0.7만큼인 수
0.1이 17개인 수
쓰기 1.7 읽기 일 점 칠

0.1이 2개이면 0.2
0.1이 20개이면 2

0 1 2 3
2와 0.1만큼인 수
0.1이 21개인 수
쓰기 2.1 읽기 이 점 일

0 1 2 3
쓰기 2.8 읽기 이 점 팔

➕ □안에 알맞은 수를 쓰세요.

0.1이 25개이면 2.5 입니다.

0.1이 49 개이면 4.9입니다.

6과 0.2만큼의 수는 6.2 입니다.

9와 0.8 만큼의 수는 9.8입니다.

➕ 물건의 길이를 재어 보고 □안에 알맞은 수를 쓰세요.

0 1 2 3 4 5 6 7 8 9 10

1 mm=0.1 cm
10 mm=1 cm

4 cm 3 mm = 43 mm = 4.3 cm

0 1 2 3 4 5 6 7 8 9 10

6 cm 9 mm = 69 mm = 6.9 cm

0 1 2 3 4 5 6 7 8 9 10

7 cm 6 mm = 76 mm = 7.6 cm

26 .2주

27

5일 소수의 크기 비교 0.1이 많은 수가 더 큰 수야.

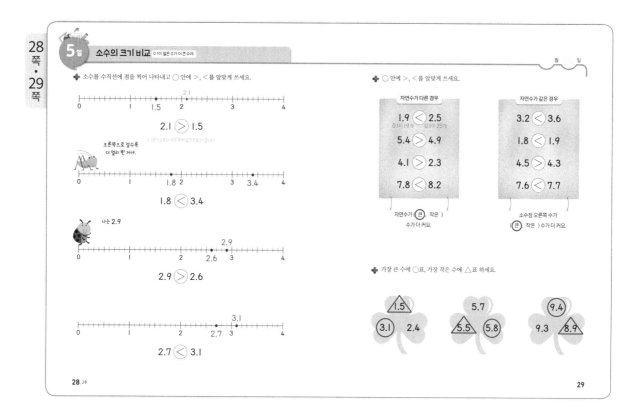

✤ 소수를 수직선에 점을 찍어 나타내고 ◯ 안에 >, <를 알맞게 쓰세요.

2.1 > 1.5

오른쪽으로 갈수록
더 멀리 뛴 거야.

1.8 < 3.4

나는 2.9

2.9 > 2.6

2.7 < 3.1

✤ ◯ 안에 >, <를 알맞게 쓰세요.

자연수가 다른 경우	자연수가 같은 경우
1.9 < 2.5	3.2 < 3.6
0.1이 19개 0.1이 25개	
5.4 > 4.9	1.8 < 1.9
4.1 > 2.3	4.5 > 4.3
7.8 < 8.2	7.6 < 7.7

자연수가 (큰 , 작은)
수가 더 커요

소수점 오른쪽 수가
(큰 , 작은) 수가 더 커요

✤ 가장 큰 수에 ◯표, 가장 작은 수에 △표 하세요.

△1.5 3.1 2.4

5.7 △5.5 5.8

◯9.4 9.3 △8.9

✐ 확인 학습

✤ □ 안에 알맞은 수를 찾아 ◯표 하세요.

$\frac{4}{5} > \frac{□}{5}$ ③ 4 5

$\frac{1}{3} < \frac{1}{□}$ ② 3 4

✤ 관계있는 것끼리 선으로 이으세요.

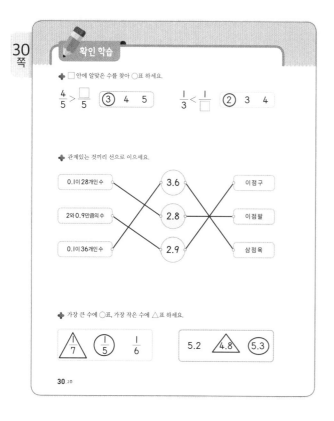

0.1이 28개인 수		3.6		이점구
2와 0.9만큼의 수		2.8		이점팔
0.1이 36개인 수		2.9		삼점육

✤ 가장 큰 수에 ◯표, 가장 작은 수에 △표 하세요.

△$\frac{1}{7}$ ◯$\frac{1}{5}$ $\frac{1}{6}$

5.2 △4.8 ◯5.3

2주

3주: 묶음과 분수

1일 낱개로 분수 나타내기
부분이 전체의 얼마인지는 (부분의 수) (전체의 수) 로 나타내요.

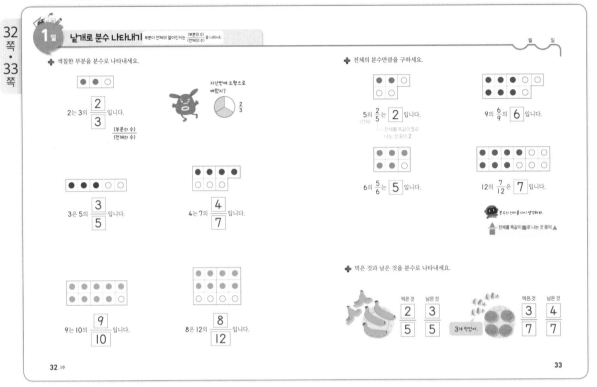

➕ 색칠한 부분을 분수로 나타내세요.

2는 3의 $\dfrac{2}{3}$ 입니다.
(부분의 수) (전체의 수)

지난번에 도형으로 빠뜨지? $\dfrac{2}{3}$

3은 5의 $\dfrac{3}{5}$ 입니다.

4는 7의 $\dfrac{4}{7}$ 입니다.

9는 10의 $\dfrac{9}{10}$ 입니다.

8은 12의 $\dfrac{8}{12}$ 입니다.

➕ 전체의 분수만큼을 구하세요.

5의 $\dfrac{2}{5}$ 는 2 입니다.
전체를 똑같이 5로 나눈 것 중의 2

9의 $\dfrac{6}{9}$ 의 6 입니다.

6의 $\dfrac{5}{6}$ 는 5 입니다.

12의 $\dfrac{7}{12}$ 은 7 입니다.

전체를 똑같이 ⬛로 나눈 것 중의 ▲

➕ 먹은 것과 남은 것을 분수로 나타내세요.

먹은것 $\dfrac{2}{5}$ 남은것 $\dfrac{3}{5}$

3개 먹었어.

먹은것 $\dfrac{3}{7}$ 남은것 $\dfrac{4}{7}$

2일 묶음으로 분수 나타내기
부분이 전체의 얼마인지는 (부분 묶음 수) (전체 묶음 수) 로 나타내요.

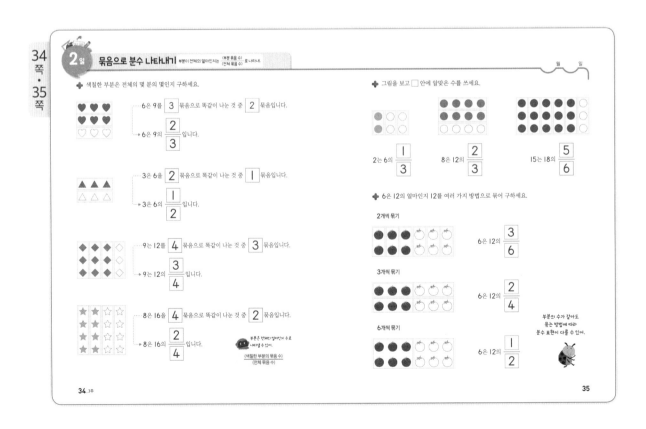

➕ 색칠한 부분은 전체의 몇 분의 몇인지 구하세요.

6은 9를 3 묶음으로 똑같이 나눈 것 중 2 묶음입니다.
➜ 6은 9의 $\dfrac{2}{3}$ 입니다.

3은 6을 2 묶음으로 똑같이 나눈 것 중 1 묶음입니다.
➜ 3은 6의 $\dfrac{1}{2}$ 입니다.

9는 12를 4 묶음으로 똑같이 나눈 것 중 3 묶음입니다.
➜ 9는 12의 $\dfrac{3}{4}$ 입니다.

8은 16을 4 묶음으로 똑같이 나눈 것 중 2 묶음입니다.
➜ 8은 16의 $\dfrac{2}{4}$ 입니다.

부분은 전체가 얼마인지 수로 나타낼 수 있다.
(색칠한 부분의 묶음 수) (전체 묶음 수)

➕ 그림을 보고 □ 안에 알맞은 수를 쓰세요.

2는 6의 $\dfrac{1}{3}$

8은 12의 $\dfrac{2}{3}$

15는 18의 $\dfrac{5}{6}$

➕ 6은 12의 얼마인지 12를 여러 가지 방법으로 묶어 구하세요.

2개씩 묶기
6은 12의 $\dfrac{3}{6}$

3개씩 묶기
6은 12의 $\dfrac{2}{4}$

6개씩 묶기
6은 12의 $\dfrac{1}{2}$

부분의 수가 같아도 묶는 방법에 따라 분수 표현이 다를 수 있어.

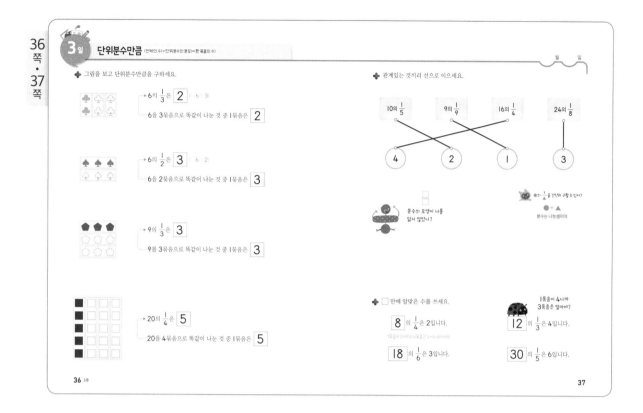

3일 **단위분수만큼** 〈전체의 수〉÷〈단위분수의 분모〉×〈한 묶음의 수〉   월   일

🍀 그림을 보고 단위분수만큼을 구하세요.

→ 6의 $\frac{1}{3}$은 **2**   (: 6 ÷ 3)

6을 3묶음으로 똑같이 나눈 것 중 1묶음은 **2**

→ 6의 $\frac{1}{2}$은 **3**   (: 6 ÷ 2)

6을 2묶음으로 똑같이 나눈 것 중 1묶음은 **3**

→ 9의 $\frac{1}{3}$은 **3**

9를 3묶음으로 똑같이 나눈 것 중 1묶음은 **3**

→ 20의 $\frac{1}{4}$은 **5**

20을 4묶음으로 똑같이 나눈 것 중 1묶음은 **5**

🍀 관계있는 것끼리 선으로 이으세요.

10의 $\frac{1}{5}$ 9의 $\frac{1}{9}$ 16의 $\frac{1}{4}$ 24의 $\frac{1}{8}$

④   ②   ①   ③

분수의 모양이 나를 닮지 않았니?

◎의 $\frac{1}{▲}$ 을 1번에 구할 수 있어?
◎ ÷ ▲
분수는 나눗셈이야

🍀 □ 안에 알맞은 수를 쓰세요.

8의 $\frac{1}{4}$은 2입니다.

18의 $\frac{1}{6}$은 3입니다.

1묶음이 4니까 3묶음은 얼마야?

12의 $\frac{1}{3}$은 4입니다.

30의 $\frac{1}{5}$은 6입니다.

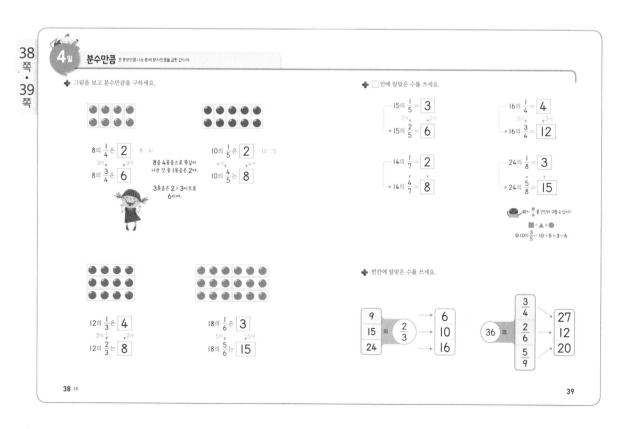

4일 **분수만큼** 은 분모만큼 나눈 분에 분자만큼을 곱한 값이야.

🍀 그림을 보고 분수만큼을 구하세요.

8의 $\frac{1}{4}$은 **2**   (: 8 ÷ 4)
8의 $\frac{3}{4}$은 **6**

8을 4묶음으로 똑같이 나눈 것 중 1묶음은 2야.

3묶음은 2×3이므로 6이야.

10의 $\frac{1}{5}$은 **2**   (: 10 ÷ 5)
10의 $\frac{4}{5}$는 **8**

12의 $\frac{1}{3}$은 **4**
12의 $\frac{2}{3}$은 **8**

18의 $\frac{1}{6}$은 **3**
18의 $\frac{5}{6}$는 **15**

🍀 □ 안에 알맞은 수를 쓰세요.

→ 15의 $\frac{1}{5}$ = **3**
→ 15의 $\frac{2}{5}$ = **6**

→ 16의 $\frac{1}{4}$ = **4**
→ 16의 $\frac{3}{4}$ = **12**

→ 14의 $\frac{1}{7}$ = **2**
→ 14의 $\frac{4}{7}$ = **8**

→ 24의 $\frac{1}{8}$ = **3**
→ 24의 $\frac{5}{8}$ = **15**

■의 $\frac{▲}{●}$ 을 1번에 구할 수 있어?
■ ÷ ● × ▲
◎ 10의 $\frac{3}{5}$ = 10 ÷ 5 × 3 = 6

🍀 빈칸에 알맞은 수를 쓰세요.

9				6
15	의	$\frac{2}{3}$	→	10
24				16

36	의	$\frac{3}{4}$	→	27
		$\frac{2}{6}$	→	12
		$\frac{5}{9}$	→	20

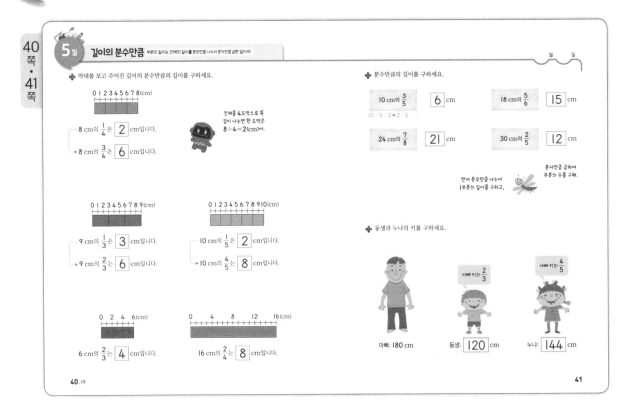

5일 길이의 분수만큼 부분의 길이는 전체의 길이를 분모만큼 나누어 분자만큼 곱한 길이야.

막대를 보고 주어진 길이의 분수만큼의 길이를 구하세요.

0 1 2 3 4 5 6 7 8 (cm)

전체를 4도막으로 똑같이 나누면 한 도막은 8÷4=2(cm)야.

→ 8 cm의 $\frac{1}{4}$은 2 cm입니다.

→ 8 cm의 $\frac{3}{4}$은 6 cm입니다.

0 1 2 3 4 5 6 7 8 9 (cm)

→ 9 cm의 $\frac{1}{3}$은 3 cm입니다.

→ 9 cm의 $\frac{2}{3}$는 6 cm입니다.

0 1 2 3 4 5 6 7 8 9 10 (cm)

→ 10 cm의 $\frac{1}{5}$은 2 cm입니다.

→ 10 cm의 $\frac{4}{5}$는 8 cm입니다.

0 2 4 6 (cm)

6 cm의 $\frac{2}{3}$는 4 cm입니다.

0   4   8   12   16 (cm)

16 cm의 $\frac{2}{4}$는 8 cm입니다.

분수만큼의 길이를 구하세요.

| 10 cm의 $\frac{3}{5}$ | 6 cm |
| 10 : 5 = 2 ⇒ 2 · 3 = 3 |

| 18 cm의 $\frac{5}{6}$ | 15 cm |

| 24 cm의 $\frac{7}{8}$ | 21 cm |

| 30 cm의 $\frac{2}{5}$ | 12 cm |

먼저 분모만큼 나누어 1부분의 길이를 구하고, 분자만큼 곱하여 부분의 수를 구해.

동생과 누나의 키를 구하세요.

아빠 키의 $\frac{2}{3}$

아빠 키의 $\frac{4}{5}$

아빠: 180 cm   동생: 120 cm   누나: 144 cm

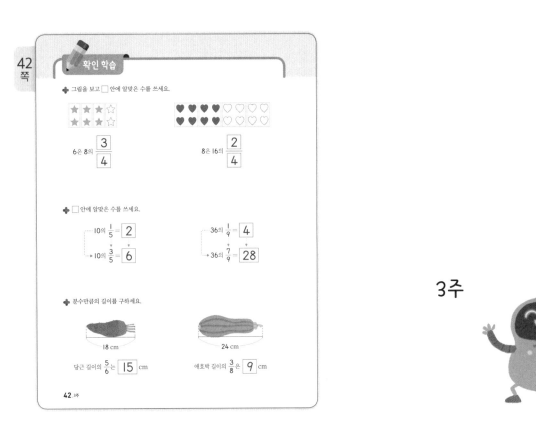

확인 학습

그림을 보고 □ 안에 알맞은 수를 쓰세요.

6은 8의 $\frac{3}{4}$

8은 16의 $\frac{2}{4}$

□ 안에 알맞은 수를 쓰세요.

→ 10의 $\frac{1}{5}$ = 2

→ 10의 $\frac{3}{5}$ = 6

→ 36의 $\frac{1}{9}$ = 4

→ 36의 $\frac{7}{9}$ = 28

분수만큼의 길이를 구하세요.

18 cm

당근 길이의 $\frac{5}{6}$는 15 cm

24 cm

애호박 길이의 $\frac{3}{8}$은 9 cm

3주

4주: 분수의 종류

1일 진분수, 가분수, 대분수 분자와 분모의 크기, 자연수가 있는지에 따라 분수를 3종류로 나누어.

월 일

➕ 그림을 보고 진분수, 가분수, 대분수를 쓰고 읽어 보세요.

진분수 분자가 분모보다 작은 분수

$\dfrac{2}{3}$　　$\dfrac{3}{5}$　　$\dfrac{1}{6}$

가분수 분자가 분모와 같거나 분모보다 큰 분수

쓰기 $\dfrac{4}{3}$　　쓰기 $\dfrac{10}{4}$　　쓰기 $\dfrac{17}{5}$

읽기 3분의 4　　읽기 4분의 10　　읽기 5분의 17

대분수 자연수와 진분수로 이루어진 분수

쓰기 $1\dfrac{2}{3}$　　쓰기 $2\dfrac{3}{4}$　　쓰기 $3\dfrac{4}{5}$

읽기 1과 3분의 2　　읽기 2와 4분의 3　　읽기 3과 5분의 4

➕ 진분수는 '진', 가분수는 '가', 대분수는 '대'를 쓰세요.

$1\dfrac{2}{3}$ 대　　$\dfrac{5}{6}$ 진　　$\dfrac{9}{4}$ 가

$\dfrac{4}{8}$ 진　　$5\dfrac{1}{12}$ 대　　$\dfrac{17}{17}$ 가

대분수도 주의해.

자연수 $\dfrac{\blacksquare}{\blacktriangle}$ 진분수

$\dfrac{4}{4}$는 진분수야, 가분수야?
분자랑 분모가 같아도 가분수야

➕ 조건에 만족하는 분수가 되도록 □ 안에 알맞은 수를 모두 찾아 ○표 하세요.

$\dfrac{\square}{7}$: 진분수　　$\dfrac{\square}{5}$: 가분수　　$3\dfrac{\square}{8}$: 대분수

⑤ ⑥ 7 8　　2 4 ⑤ ⑧　　④ ⑦ 8 9

2일 대분수를 가분수로 나타내기 자연수를 가분수로 나타내어 나머지 진분수와 더해.

월 일

➕ 그림을 보고 대분수를 가분수로 나타내세요.

$1\dfrac{2}{3}$　　$\dfrac{3}{3}$ 과 $\dfrac{2}{3}$ → $\dfrac{5}{3}$

$1=\dfrac{4}{4}, 2=\dfrac{8}{4}$　　$2\dfrac{3}{4}$　　$\dfrac{8}{4}$ 과 $\dfrac{3}{4}$ → $\dfrac{11}{4}$

$3\dfrac{1}{2}$　　$\dfrac{6}{2}$ 과 $\dfrac{1}{2}$ → $\dfrac{7}{2}$

➕ 대분수를 가분수로 나타내세요.

$1\dfrac{3}{4}=\dfrac{7}{4}$　　$2\dfrac{3}{5}=\dfrac{13}{5}$　　$5\dfrac{4}{7}=\dfrac{39}{7}$

$3\dfrac{5}{6}=\dfrac{23}{6}$　　$4\dfrac{2}{3}=\dfrac{14}{3}$　　$2\dfrac{6}{11}=\dfrac{28}{11}$

자연수를 분모로 곱하여 분자에 더하면 간단해.

$2\dfrac{1}{3}=\dfrac{2\times3+1}{3}=\dfrac{7}{3}$

➕ 같은 것끼리 선으로 이으세요.

$2\dfrac{2}{4}$　　$3\dfrac{1}{3}$　　$3\dfrac{3}{4}$　　$2\dfrac{2}{3}$

$\dfrac{15}{4}$　　$\dfrac{8}{3}$　　$\dfrac{10}{4}$　　$\dfrac{10}{3}$

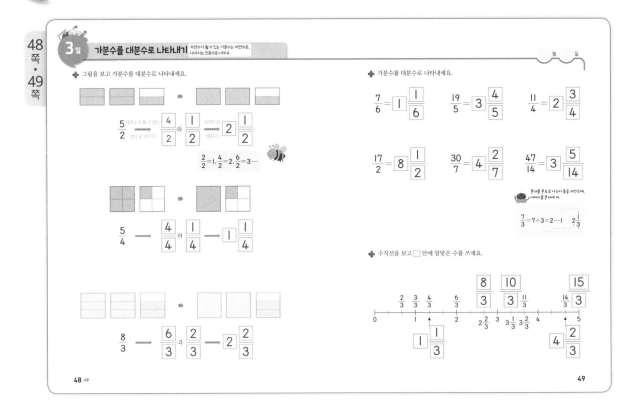

3일 가분수를 대분수로 나타내기

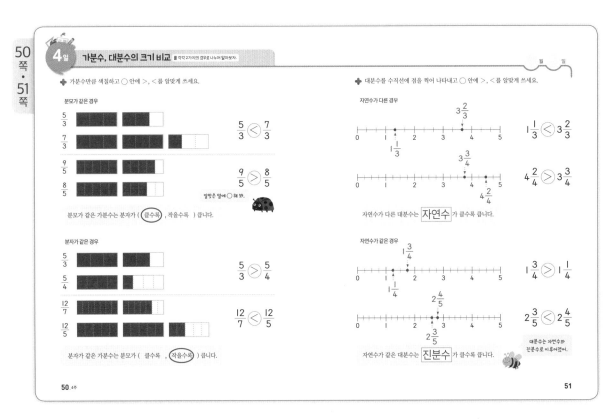

4일 가분수, 대분수의 크기 비교

5일 **가분수와 대분수의 크기 비교** 같은 종류의 분수로 바꾸어 크기를 비교해.

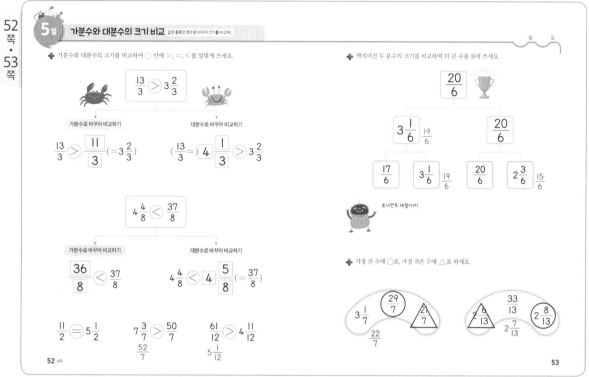

➕ 가분수와 대분수의 크기를 비교하여 ◯ 안에 >, =, <를 알맞게 쓰세요.

$\dfrac{13}{3}$ ◯> $3\dfrac{2}{3}$

가분수로 바꾸어 비교하기

대분수로 바꾸어 비교하기

$\dfrac{13}{3}$ > $\dfrac{11}{3}$ $(=3\dfrac{2}{3})$

$(\dfrac{13}{3}=)$ $4\dfrac{1}{3}$ > $3\dfrac{2}{3}$

$4\dfrac{4}{8}$ < $\dfrac{37}{8}$

가분수로 바꾸어 비교하기

대분수로 바꾸어 비교하기

$\dfrac{36}{8}$ < $\dfrac{37}{8}$

$4\dfrac{4}{8}$ < $4\dfrac{5}{8}$ $(=\dfrac{37}{8})$

$\dfrac{11}{2}$ = $5\dfrac{1}{2}$

$7\dfrac{3}{7}$ > $\dfrac{50}{7}$
$\dfrac{52}{7}$

$\dfrac{61}{12}$ > $4\dfrac{11}{12}$
$5\dfrac{1}{12}$

➕ 짝지어진 두 분수의 크기를 비교하여 더 큰 수를 위에 쓰세요.

$\dfrac{20}{6}$

$3\dfrac{1}{6}$ $\dfrac{19}{6}$

$\dfrac{20}{6}$

$\dfrac{17}{6}$

$3\dfrac{1}{6}$ $\dfrac{19}{6}$

$\dfrac{20}{6}$

$2\dfrac{3}{6}$ $\dfrac{15}{6}$

토너먼트 대결이야!

➕ 가장 큰 수에 ◯표, 가장 작은 수에 △표 하세요.

$3\dfrac{1}{7}$ ◯$\dfrac{29}{7}$ △$2\dfrac{1}{7}$

$\dfrac{22}{7}$

△$2\dfrac{6}{13}$ $\dfrac{33}{13}$ ◯$2\dfrac{8}{13}$

$2\dfrac{7}{13}$

✏️ **확인 학습**

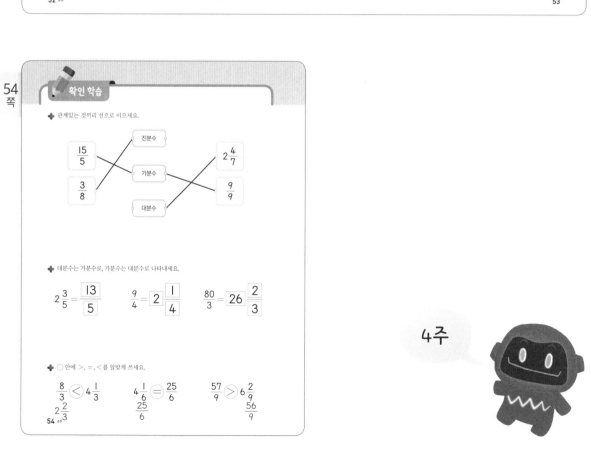

➕ 관계있는 것끼리 선으로 이으세요.

$\dfrac{15}{5}$

$\dfrac{3}{8}$

진분수

가분수

대분수

$2\dfrac{4}{7}$

$\dfrac{9}{9}$

➕ 대분수는 가분수로, 가분수는 대분수로 나타내세요.

$2\dfrac{3}{5}$ = $\dfrac{13}{5}$

$\dfrac{9}{4}$ = $2\dfrac{1}{4}$

$\dfrac{80}{3}$ = $26\dfrac{2}{3}$

➕ ◯ 안에 >, =, <를 알맞게 쓰세요.

$\dfrac{8}{3}$ < $4\dfrac{1}{3}$
$2\dfrac{2}{3}$

$4\dfrac{1}{6}$ = $\dfrac{25}{6}$
$\dfrac{25}{6}$

$\dfrac{57}{9}$ > $6\dfrac{2}{9}$
$\dfrac{56}{9}$

4주

마무리 평가

1회 마무리 평가

제한 시간 5분 | 맞은 개수 / 8개

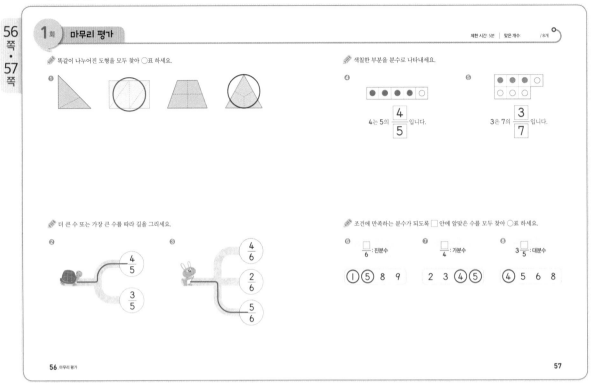

똑같이 나누어진 도형을 모두 찾아 ○표 하세요.

색칠한 부분을 분수로 나타내세요.

④ 4는 5의 $\frac{4}{5}$ 입니다.

⑤ 3은 7의 $\frac{3}{7}$ 입니다.

더 큰 수 또는 가장 큰 수를 따라 길을 그리세요.

② $\frac{4}{5}$ $\frac{3}{5}$

③ $\frac{4}{6}$ $\frac{2}{6}$ $\frac{5}{6}$

조건에 만족하는 분수가 되도록 □안에 알맞은 수를 모두 찾아 ○표 하세요.

⑥ $\frac{□}{6}$: 진분수
① ⑤ 8 9

⑦ $\frac{□}{4}$: 가분수
2 3 ④ ⑤

⑧ $3\frac{□}{5}$: 대분수
④ 5 6 8

2회 마무리 평가

제한 시간 5분 | 맞은 개수 / 11개

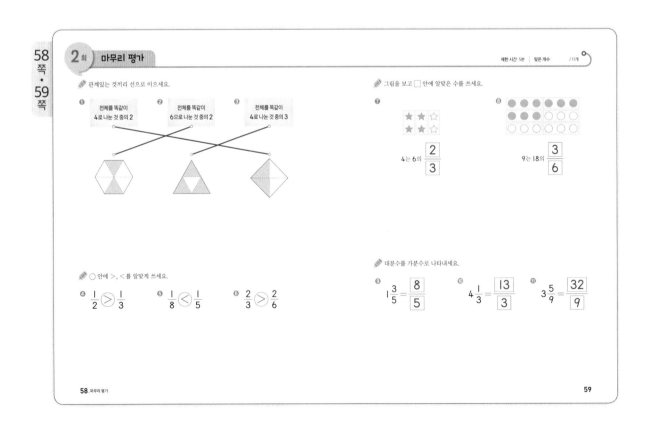

관계있는 것끼리 선으로 이으세요.

① 전체를 똑같이 4로 나눈 것 중의 2

② 전체를 똑같이 6으로 나눈 것 중의 2

③ 전체를 똑같이 4로 나눈 것 중의 3

그림을 보고 □안에 알맞은 수를 쓰세요.

⑦ 4는 6의 $\frac{2}{3}$

⑧ 9는 18의 $\frac{3}{6}$

○ 안에 >, <를 알맞게 쓰세요.

④ $\frac{1}{2}$ > $\frac{1}{3}$

⑤ $\frac{1}{8}$ < $\frac{1}{5}$

⑥ $\frac{2}{3}$ > $\frac{2}{6}$

대분수를 가분수로 나타내세요.

⑨ $1\frac{3}{5} = \frac{8}{5}$

⑩ $4\frac{1}{3} = \frac{13}{3}$

⑪ $3\frac{5}{9} = \frac{32}{9}$

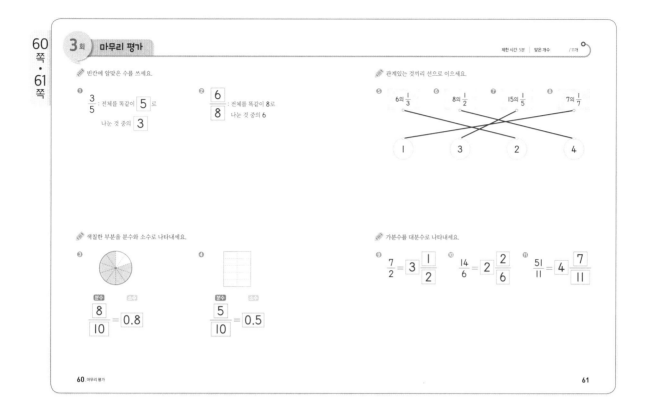

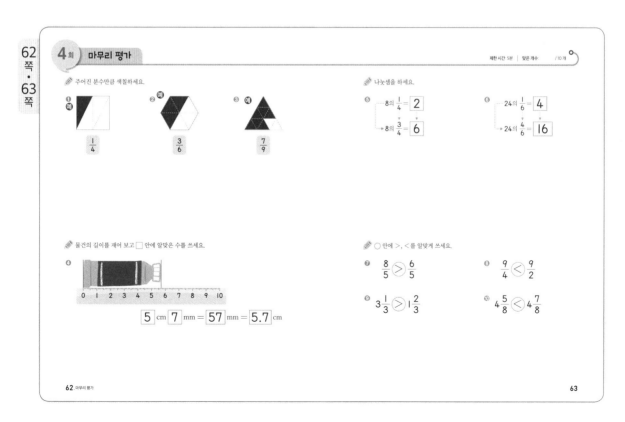

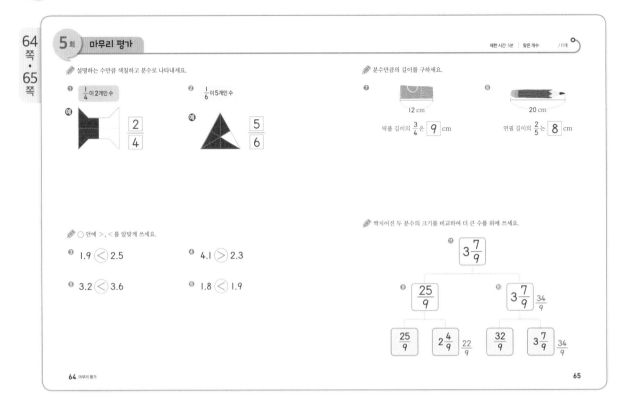

5회 마무리 평가

제한 시간 5분 | 맞은 개수 /11개

설명하는 수만큼 색칠하고 분수로 나타내세요.

❶ $\frac{1}{4}$이 2개인 수   (예) $\frac{2}{4}$

❷ $\frac{1}{6}$이 5개인 수   (예) $\frac{5}{6}$

분수만큼의 길이를 구하세요.

❼ 12 cm   딱풀 길이의 $\frac{3}{4}$은 $\boxed{9}$ cm

❽ 20 cm   연필 길이의 $\frac{2}{5}$는 $\boxed{8}$ cm

○ 안에 >, <를 알맞게 쓰세요.

❸ 1.9 $<$ 2.5   ❹ 4.1 $>$ 2.3

❺ 3.2 $<$ 3.6   ❻ 1.8 $<$ 1.9

짝지어진 두 분수의 크기를 비교하여 더 큰 수를 위에 쓰세요.

⑪ $3\frac{7}{9}$

❾ $\frac{25}{9}$ ⑩ $3\frac{7}{9}$ $\frac{34}{9}$

$\frac{25}{9}$ $2\frac{4}{9}$ $\frac{22}{9}$ $\frac{32}{9}$ $3\frac{7}{9}$ $\frac{34}{9}$

실력 평가

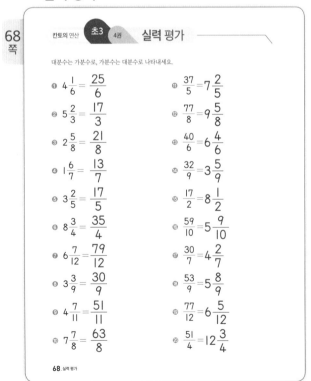

칸토의 연산 **초3** 4권   **실력 평가**

대분수는 가분수로, 가분수는 대분수로 나타내세요.

❶ $4\frac{1}{6} = \frac{25}{6}$ ⑪ $\frac{37}{5} = 7\frac{2}{5}$

❷ $5\frac{2}{3} = \frac{17}{3}$ ⑫ $\frac{77}{8} = 9\frac{5}{8}$

❸ $2\frac{5}{8} = \frac{21}{8}$ ⑬ $\frac{40}{6} = 6\frac{4}{6}$

❹ $1\frac{6}{7} = \frac{13}{7}$ ⑭ $\frac{32}{9} = 3\frac{5}{9}$

❺ $3\frac{2}{5} = \frac{17}{5}$ ⑮ $\frac{17}{2} = 8\frac{1}{2}$

❻ $8\frac{3}{4} = \frac{35}{4}$ ⑯ $\frac{59}{10} = 5\frac{9}{10}$

❼ $6\frac{7}{12} = \frac{79}{12}$ ⑰ $\frac{30}{7} = 4\frac{2}{7}$

❽ $3\frac{3}{9} = \frac{30}{9}$ ⑱ $\frac{53}{9} = 5\frac{8}{9}$

❾ $4\frac{7}{11} = \frac{51}{11}$ ⑲ $\frac{77}{12} = 6\frac{5}{12}$

❿ $7\frac{7}{8} = \frac{63}{8}$ ⑳ $\frac{51}{4} = 12\frac{3}{4}$

칸토의 연산

The essence of mathematics lies in its freedom.

수학의 본질은 그 자유로움에 있다.

Georg Cantor(1845~1918)

모 델 명: 칸토의 연산
제조년월: 2023년 7월 | 제조자명: ㈜씨투엠에듀
주소 및 전화번호 : 경기도 수원시 장안구 파장로 7(태영빌딩 3층) / 031-548-1191
제조국명: 한국 | 사용연령 : 만 3세 이상

홈페이지 : www.c2medu.co.kr | 지원카페 : cafe.naver.com/fieldsm

상자를 열어 수학을 가져라!

초등수학교구상자

교과서 문제는 기본, 영재원 문제까지 완벽 해결

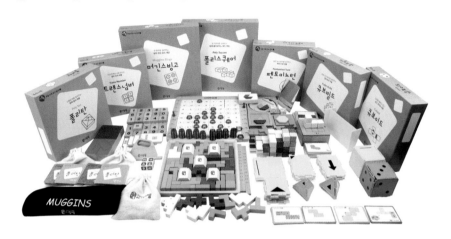

아이들이 가장 어려워하는 초등 교과 단원을 수학교구로 재미있고 쉽게 조작하고 놀며 수학의 개념과 원리를 익힐 수 있어요.

도형 뒤집기! 돌리기! 붙이기!

❶ 펜토미노 턴

쌓기나무와 소마큐브 집중탐구

❷ 큐브빌드

덧셈, 뺄셈에서 곱셈과 나눗셈까지!

❸ 머긴스빙고

입체조각을 뒤집고, 돌리며, 쌓아가며!

❹ 폴리스퀘어

연산 원리와 감각을 한 번에

❺ 트랜스넘버

전개도를 접었다 펼쳤다!

❻ 큐보이드

칠교 퍼즐의 변신 입체 칠교

❼ 폴리탄

씨투엠이 만들면 기준이 됩니다!